曽野綾子

人間にとって成熟とは何か

GS
幻冬舎新書
311

人間にとって成熟とは何か／目次

第一話 正しいことだけをして生きることはできない

すべてのことに善と悪の両面がある

人間は誰でも、自分で自分を救わなくては生きていられないのだから、どんな悪い境遇になっても必ず自分を生かす要素を見つけるものだ、と私は思っている。

たとえば病気になって入院するのは不運に決まっているのだが、「これも人生で必要な体験と時間だったのかもしれない」と考える。現に私の作家の友人は、先日足を折って入院した。そこで立派な文学的評伝を書き上げた。

その人の言葉によると、自分は普段怠け者で、足でも折らなければ、かねがね完成させねばならないことになっていたその作品も、決して書き終わらなかったと思う。怪我をして歩けなくなったから、暇ができて仕上げられた、と言うのである。

そんなものだなあ、と私も同感した。しかし準備なしにいきなり足を折っても、とうていそれだけのみごとな評伝は書けないのだから、彼女は普段から準備はしていたのだ。

私も年を取ったことについての意味のようなものは感じている。別に私ほど年を取らなくてもいいのだ。しかし三十代は二十代とは違う。四十代は三十代とは違う。肉体的能力はそれぞれ明らかに落ちているだろうが、長く生きて来た分だけ、知的な蓄積が多くなるのは普通なのである。私も全く人並みにそれを感じている。私は八十代に差しかかったところだから、四十代の倍は、その記憶と体験の貯金を持っているという実感を持っても不思議はない。

もっとも私は、ほんとうの読書家とは言いがたかった。知識の蓄積の率は悪かっただろうと、少し引け目に思っている。言い訳をすれば、私は強度の近視だった。

昔、主治医だった眼科の医師に、あなたの眼は一本の蠟燭《ろうそく》のようなもので、いつか燃え尽きる時もあるかもしれないから、その盲目になるまでの時間を、人生でどう配分して使うかを考えなさい、と言われたことがあった。

すぐ燃え尽きてもいいから今読む、というより、私は視力を使い延ばす道を選んだように思う。年取ってまだ死なないでいるのに、視力を失うと家族も迷惑する。目の前の食卓の上のものが見えないようでは、家族はいちいち私の食事の世話をしなければならない。それは大変なことだから、眼は細々と使って、何歳になっても、食事や入浴だけは自分でできるようにしておこう、と決めたのである。

そういうわけで私は、自分が期待したような読書家にはなれなかったが、その分、旅もし、世の中にも出て行ったので、私は今この年になって時々驚くことがある。或る種のニュースを見ると、私はそれに関して自分の体験として語る部分がいつのまにか蓄積されていたのである。

ただし、その多くはくだらない知識だ。立派な学問的理論などわかっていたためしはない。しかしそれにしてもその件に関して、私はたいてい、自分らしい体験や感じ方を持っているようになったのだから、やはり幸せと言うべきなのである。

そうやって、自分の「福袋」ならぬ「体験袋」の中に、ゴミにも似た知識や記憶がたくさん詰め込まれた実感を持つようになると、一つ見えて来たことがある。

それは、この世のことは、善でもなく悪でもなく、多くの場合、その双方の要素を兼ね備えているということだ。

もっと私流の言い方をすれば、善だけの行為とか、悪だけの結果、というものはむしろきわめて稀《まれ》であって、そういう純粋すぎる生き方・見方をする人と、私はついぞ仲良くなれなかった面はある。

人間の心は矛盾を持つ

善が役に立つことは誰でも知っている。善人が多ければ、泥棒も少なく、殺人をする人もいない。そうすれば、警察官の数も減り、市民は皆穏やかな暮らしができる。

昔私はニュージーランド政府からの招待を受けて、あの国を見学したことがあった。聞きしに勝る端正な国であった。国中端々まで整い、しかも自由主義的社会主義とさえ言えるような平等が整備されていた。最近でもニュージーランドが、世界でもっとも暮らし易《やす》い国のごく上位に挙げられていることは当然と思う。

ニュージーランドではどこの町でも同じような敷地面積のきれいな住宅が並んでいた。

特に豪邸でもないが、貧しく傾きかかった家など見えなかった。敷地は一千平方メートル前後か、前庭と裏庭があり、前庭には花が植えられ、裏庭には果樹が数本あって、広々とした洗濯物の干場も用意されているという感じだった。

「こちらでは、植木屋さんというものは、日当いくらくらいで来てくれますか？」

と私は尋ねた。すると植木屋さんを頼む家というのはほとんどいないのだ、というのがその答えだった。

「でも大きなお宅では、やはり植木屋さんが要るでしょう？」

と私は言った。

「いいえ、この国には大きな屋敷というのはないんです。皆あなたがごらんになったくらいの家の規模です」

「でも、たとえば大臣のお宅とか、社長さんとかの家には例外が……」

「例外はないんです。一軒の家の夫が手入れできる芝生の面積も、裏庭の果樹の手入れもだいたい同じですからね。特別に広大な庭を持つ家なんてないんです」

それはそうだ、と私は納得した。もちろん夫の能力にいくらかの差はあるだろう。庭仕事に興味を持つ夫と、そんなものは金輪際《こんりんざい》嫌だという性格の差はあると思う。しかしとにかく肉体労働をする人だろうが、知的生活をする人だろうが、刈れる芝生の面積は同じ機械を使えば大体同じだ。だからどんな職種の人でも、ほぼ同じ面積の敷地を持つ家に住んでいることになる。

私はその時メイドさんを頼んだ場合の給与も尋ねたのだが、メイドさんになる人が国中どこにもいないのだから、給与の多寡《たか》もわからない、というのがその答えだった。いないのだから、誰もが人を頼まずに自分たちの暮らしは自分たちでまかなう、という生活の姿勢は、実に当然なのである。人手を増やそうと思ったら、アーミッシュの人たちのように子供をたくさん産んで、男の子には野良仕事や大工仕事、女の子には料理・洗濯・織物・裁縫をみっちり仕込んで、家庭内の労働力を確保するほかないだろう。

それからもう何十年も経つ。だからニュージーランドの生活方式が変わって来たかどうか私は知らない。しかしこういう現象は一種のきわめて公平な民主主義制度として、全世界が支持する方向だから、変わらないのではないかと思う。

ニュージーランドでもっとも感心したのは、田舎道に多く出ている「正直者のお店」

であった。付近の農民がオレンジでも、カブでも、自分の家で採れたものを街道沿いの小さな台に置いておく。値段もちゃんと書いてある。客は勝手に自分が欲しい農産物を取り、その代金を台の上に置いてあるお皿に入れて行く。紙幣が少しでも大きくてお釣りが要る場合には、勝手にそのお皿の中からお釣りの分の小銭を持って行くのである。なるほど、社会全体が正直者でなければ、こういう無人スタンドが成り立つわけはない。

ニュージーランドでは、駅前の植え込みの陰に、カバンを忘れた人が、一週間後に行ってみると、ちゃんとそこに残されていた、という話も聞いた。日本にもよく、公衆トイレの中に置き忘れたハンドバッグを一時間後に行ってみたら、ちゃんと残っていたか、届けられていたという話があるが、それよりさらに完璧に正直だというのである。

しかし世界のレベルは決してそうではない。

現在でも私が日本で感心するのは、田舎のJAの人気《ひとけ》のないオフィスの前などにも置いてある飲み物の自動販売機が、夜の間にも奪われないことだ。もちろん警報装置はついているのだろうが、多くの外国では、あんな「宝の山」を放置する泥棒はいない。自動販売機を一台盗めば、現金と飲み物と機械そのものと、三種類のお宝が一挙に手に入るのだから、必ず仲間と徒党を組んで盗みを働くはずなのである。

私はニュージーランド政府が、外国のマスコミに見せたがる完璧に道徳的な国の姿をよく理解した。この国の姿は、世界中が、こうなるといいと思う理想の形態を既に取っていた。

しかし私の心の五パーセントか、十パーセントほどの部分が、こういう国はほんとうに退屈だと思ったことも告白しなければならない。改めて言うが、私は泥棒も嫌だ。不公平な身分格差のある社会も嫌いだ。しかし、そもそも矛盾を含んでいる人間の心には、そうでない部分もあるのである。

今、日本では韓《ハン》流ドラマが大流行だ。私もたまにはその手の番組の中で、歴史物として作られているものを見ることもある。一人の俳優さんの名前も知らないのだが、何しろ衣装がきれい、大道具はすばらしく、出演者は美人揃《ぞろ》いの上、ドラマの筋が、波瀾万丈《はらんばんじょう》、封建的思想によって恋も愛もずたずたに裂かれるような話だから、明快で退屈しないのである。

人は公平、幸福、順調が何より好きだが、心の一部では、そうでもない要素も求めている。つまり不公平であることは充分知りつつ、時には桁外れの豪華な暮らしや、家柄の故に不当に裂かれる悲恋も好きなのである。

人生には〝悪〟を選んで後悔するおもしろさもある

それ以来、実は私はニュージーランドに行っていない。用事がないというのが第一の理由なのだが、あまりに清浄《しょうじょう》すぎて、悪の匂いがする誘惑がないのでおもしろくない。

決してギャングがいたり、赤線が繁栄していたりする国に行きたい、というわけではないのだが、ニュージーランドでは、日曜日には一切の店が開かなかった。だから人々は午前中は誰もが家族と教会に行く。開いているのは教会だけなのだ。午後も同じだ。劇場も映画館も休みだったような気がする。あるいは田舎町ではそのような娯楽施設が何もないから、人々は戸外へピクニックに行くほかはなかったのかもしれない。ここでも家族連れで、再び午前中に教会でいっしょだった近所の人と顔を合わせる。私は偏屈なのだが、逆にこんな閉鎖的な社会では生きにくい。

世の中は矛盾だらけだ。だからいいことだけがいいのではない。時には悪いことも用意されていて、その中から選ぶ自由も残されていた方がいい。

少なくとも、社会の仕組みにおいては、いささかの悪さもできる部分が残されていて、人間は自由な意思の選択で悪を選んで後悔したり、最初から賢く選ばなかったりする自由があった方がいい。

英語でワンダフルという言葉は、普通「すばらしい」と訳している。つまり「りっぱ」とか「感動的だ」とかいう場合に使っている。その言葉の背後には、「期待していたよりもはるかによかった」というニュアンスがこめられているだろう。

人間の想像力というものは、実にある意味では貧しいもので、それが二〇一一年三月十一日の東日本大震災の被害を示す言葉にも表れた。つまり今回の津波は「想定外」の高さだったと言う人が実に多かったのである。

東京電力の関係者だけが、自分の責任逃れにそう言っているなら、私は不愉快に思っただろう。しかし大震災直後のテレビの中で、いち早くこの「想定外」という言葉を口にしたのは、その土地に住む人たちであった。「当事者」の偽らない感情なのだな、と思えたのである。

普通、村には必ず昔からの言い伝えのようなものがあって、安政の旱魃《かんばつ》の時には村を流れる川がこんなに干上がったとか、明治の地震の時にはどこそこの鼻と呼ばれる岬の岩が崩れた、というような話があって、それがかなり長く語り継がれるものなのである。しかしそれにもかかわらず、今回のような「想定外」が現れるのが人生というものなのだ。

英語の「ワンダフル」は「フル・オブ・ワンダー」ということで、実は驚きがいっぱい、ということだ。すばらしい、という表現の基本には「想定外」が含まれるらしい。もし想定通りに事が進んだら、必ずしもワンダフルではないのかもしれない。

驚きがいっぱいであることが、すなわちすばらしいことなのだ、という発想は実は宗教的な解釈なのだろう。神などいるものか、と言う人の考えに私は反対したことがない。神がいるかいないか、誰一人として証明できる人はいないのだから。

ただ私は、神はいるという保証もないが、同じように神などいない、という保証もできないものだと思っているだけだ。

そういう場合、神の人格は人間の人格をはるかに超えたものだと思われているから、もし実際に死後の私たちが神を見たら、いないと言い切ってしまっていると具合が悪くなる。会社の人たちとしこたま酒を飲んで管《くだ》を巻き、「社長なんかなんでぇ、あのバカ！」と怒鳴った瞬間に当の社長が目前に現れたらやはり具合が悪いものだろう。だから私は神がいる方に賭けるのだ、といつも言っている。

神と人間の違いは――こんな大きな命題に触れるのは、神学の何たるかをほとんど知らない人間のすることなのだが――神は正確に予測し、人間の眼は昏《くら》い、ということだろう。人間は予測しようとするが、実はできない動物なのだ、ということである。

それに対して神は、自分の計画を人間の上に着々と実行する。だから神は「人間には予測できないようなすばらしい」ことが起きるという驚きと幸福を与えたが、恐らく神ご自身は、そういう幸せをお感じになることはあるまい。

日本人に限ったことではない。人間社会の上に善悪の区別がはっきりしていることを信じている人を私は避けている。そこには人間理解の根本がないと思うからだ。

善しか人道として許されるものはなく、したがって自分は善を追う人道の道を歩く、と簡単に信じ、信じているだけでなく、それを強烈にアピールする人と私は付き合えない。なぜなら少なくとも私は、そんなにいいことだけして生きようとしていないし、そう思う人は自己満足であって、何が社会や相手にとって正しくいいことかはそんなに簡単にはわからないことが多いからだ。

いつも言うことだが人は皆ほどほどの生き方をしている。身勝手なような人も意外と他者のことも心に留めている。社会正義は誰でも好きなのだが、それも時と場合と程度によって簡単には決められないと密かに考えて悩んでいる。アラブの人たちはこの正義という点に関してもっと大人で正直だから、彼らは格言の中で次のように言っている。

「正義はいいものだ。しかし誰も家庭ではそれを望まない」

家の中で正義を貫いているというのは嘘《うそ》だし、端的に住みにくくなるということだからだろう。

第二話「努力でも解決できないことがある」と知る

祈ったことのない人間は存在するか

一応改まって信仰の有る無しを聞かれると、「私はカトリックです」と答えることになるのだが、そういう時、私は自然に声が小さくなっている。私の周囲には、日々よく祈り、教会の集まりにもよく顔を出すいわゆるキリスト教信者として立派な人たちがたくさんいるのだが、私はそうでないから声も小さくなるのである。

ただ言い訳をすれば、聖書には私が慰められるようなことも書いてある。

「私が来たのは、正しい人を招くためではなく、罪人を招くためである」（『マタイによる福音書（9・13）』）

信仰の表明についても、私は昔から臆病だった。うんと若い時は、自分の存在が信仰と結びつけられることがひたすら怖かった。信仰を持つ人間として円熟した判断を自分が持つことなど、とうていできそうにないと信じていたから、クリスチャンであることさえ隠そうとしていた時代もあった。

世の中で事件が起きると、「クリスチャンの立場からはどういうふうに判断しますか？」などとマスコミに聞かれることもあったのである。すると私はただひたすら、そんなむずかしいことに私はお答えできるとは思えません、と逃げの一手であった。

中年以降になると、さすがに私は逃げ隠れをしようとは思わなくなった。一つには十七年かかって新約聖書の詳細な講義を受けたから、聖書について読み込むことができるようになっていたからかもしれない。

その頃になると、私は自分の信仰のことをすべて笑って受け流していた。からかわれても、ばかが信じることだ、というふうに扱われても、別に怒りもせず逃げもしなくなっていた。

「私は神なんか信じませんからね」と言明する人に会うと、「そんなことを言っていいのかなあ」と心の中で思いながらにこにこしていた。神がいないなら、この人は決して祈るということをしないのだろう。しかしそれを公言すると、ほんとうは困るのではないかなあ、というのが私の実感だった。

二〇一一年三月十一日の東日本大震災の時、たくさんの人が津波に流された。つい一分前まですぐそこにいた夫や子供が、瞬間的に濁流に呑まれて姿を消した。誰もが、必ずどこかで生きていると思っていたろう。自分が間一髪で助かったように、流された家族も、必ず他人の家の屋根の上や、途中の電信柱に摑《つか》まって助かっているにちがいない。そのうち会える。明日になれば会える、と思う。

やがてそのうちにその希望は祈りに変わるのだ。どうぞ神さま、仏さま、家族を助けてください、と祈る。助けられるのは、あなたしかいないのです、と願う。これが普通だ。

神なんかいないと言う人は、そういう時でも、あの人が生きていますようにとは決して祈らない、ということだ。私にはそんなことはとてもできなかった。生き死にの問題ですらなく、ただ単に、その人の病状が長引いているというだけで、私は神に祈った。

痛いところがあるというだけでも、その苦痛を取り除いてください、と神に頼んだ。

「苦しい時の神頼み」とはよく言ったものだ。人間はよく神と取引さえすると言われている。もしあの人の苦痛を取ってくださいましたら、病気が治りましたら、生きて帰って来てくれましたら、私はお茶を一生飲みません、甘いものを断ちます、というふうに神に報いようとするのだ、と言う。

私たちはそれもまた厳密な意味では禁じられていた。自分の利益のために、安易に神と取引をしてはいけない。誓いも立ててはならない、と戒《いまし》められているのである。

神などいるわけがない、と言う人は、人間の力だけが可能か不可能かを決めるのであって、それ以外の力が介在するわけはない、と思うのだ。しかし私はそうではなかった。私はたくさんのことを望んだ。しかし最後に私がすべきことと、できることを決めたのは、私ではない存在の力が大きい、というのが私の実感だった。

「安心して暮らせる社会」は幻想

二〇一一年五月、私はまた「ひょんなことから」思いがけないサイド・ビジネスをする破目になった。ビジネスといっても、誰も一円も儲《もう》けたわけではない。

二〇一〇年の十月の下旬、私は旧知の昭和大学病院の形成外科の土佐泰祥《とさやすよし》先生に、ほとんど思いつきのように「先生はたとえばアフリカのマダガスカルの田舎の病院のような所で、貧しいために今まで放置されていた兎唇《みつくち》の子供たちのために、手術をしてくださるという興味はおありですか？」と尋ねたのであった。その質問の背後には、さまざまな要素がある。

まず土佐先生が口唇口蓋裂《こうしんこうがいれつ》の手術をお得意とされていることを私は知っていたからだ。一方私が約四十年間働いた海外邦人宣教者活動援助後援会（ＪＯＭＡＳ）は、過去に何十年もかけてマダガスカルの首都から百七十キロ南のアンツィラベという地方都市にあるアベ・マリア産院に、赤ちゃん用のミルクを送り、セコハンのものにせよ高さの調節の利く分娩《ぶんべん》台を買い、それまで手術室がなかったために、年に何例も死亡するほかはなかった難産の母を救うために、かなり本格的な手術のできる手術室を作る費用を贈った。予備の電源の発電機も買った。しかし私たちの誰もが、まだその手術室の威力を実際に見聞きしていなかった。

二〇一〇年の半ば頃、アベ・マリア産院で働くシスター牧野《まきの》幸江《ゆきえ》が、「日本の皆さんが贈ってくださった手術室があるおかげで、最近では、土地の形成外科医が、器具持ち込みで簡単な手術をさせてくれ、と言ってくるようになりました」と手紙に書いて来た。それは私たちにとっては画期的な前進の証拠であった。

素人の範囲でその状態を解説すれば、産科の手術室なるものは、マダガスカルの場合、帝王切開だけを考えている。卵巣や子宮がんの手術が行えるとは思えない。つまり全身麻酔ではなく、腰椎《ようつい》麻酔だけで済む帝王切開の手術を主目的にしている。だから麻酔器を使うような全身麻酔の措置はそれまでなくて済んでいた。

それにしても不潔な医療設備が多いのがアフリカの実態であった。マダガスカルではないが、国立病院の手術室にも皆が土足で入り、手術台の上には砂埃《すなぼこり》が積もっていた国もある。だからアンツィラベでよその粗末な病院の医師が、アベ・マリア産院の手術室に眼をつけ、貸してくれと言ってくるのだろう。

もし私たちの手がけたアベ・マリア産院の手術室で、産科だけでなく形成外科の手術もできるなら、これは新しい可能性の展開ではないか。今でも日本には五百人に一人の割で口唇口蓋裂の赤ちゃんが生まれて来る。

しかし私たちがそんな事実を信じられないのは、日本各地の優秀な形成外科医が、適切な時期にきれいに治してしまうので、私たちの眼には触れないだけのことであるらしい。

土佐先生は「自分は行ってみたい」という返事をされた。これが第一歩であった。もし先生が今の患者だけで手一杯です、と言われれば、私はすぐに話を打ち切ったはずである。しかし私はアフリカの医療がどれほど遅れており、病気はほとんど放置されているに等しいかということを、三十年以上になるアフリカとのかかわりの中で知っていた。

アフリカには、人が病気を治してもらうということに関して、何もないところが多かった。金もなく、設備もなく、医師もいず（いても賄賂《わいろ》でしか本気で患者を診ることをせず）、その医師の技術も低く、電気もなく、薬もなく、健康保険は全くなく、交通はしばしば泥濘《でいねい》や川の増水で途絶し、患者は医療機関に到達するバスなどの移動の方途もなく、救急車はもちろんないかあってもすべて有料で、それを出せる人はほとんどいなかった。だからこれほど潤沢に高度の医療を受けられる日本人の幸福を、ほんの少し分けてやったらどうかと思っていたのである。

私が土佐先生にした第二の質問は、「先生がそう思ってくださいましても、医療のチームがないと実現しません。先生の病院では、もしかするとそのことが可能ですか？」ということだった。土佐先生はそれに対して慎重に、不可能とは思わない、という答えをくださった。それがこのプロジェクトの第一歩であった。

そして結果を簡単に述べれば、それから一年も経たないうちに、昭和大学病院の医療班の「マダガスカル口唇口蓋裂プロジェクト」は現実のものとなり、二〇一一年五月から六月にかけて約十日間行われた手術で、三十二人の患者が成功したのである。

口唇口蓋裂をよく知らない人たちのために簡単な説明をすると、生まれた時から唇が裂けたり、裂けた部分が瘤《こぶ》のようになっていたり、上顎《うわあご》に大小さまざまな穴が開いていたりする子が約五百人に一人の率で生まれる。

乳児の頃は母乳が鼻に漏《も》れてしまったりして栄養を取らせるのも大変だし、少し大きくなると、発音がうまくできない。口蓋裂では、「サシスセソ」の音が英語の「tha thi thu the tho」のように音が鼻に抜けてしまい、非常に聞き取りにくい。店員になろうとしても雇い手がなく、神学生の希望者は神父になっても説教ができない。総じて職業に大きく差し障る。

日本では生後すぐに医療の手がさしのべられるからほとんど後遺症もなくて済むのだが、アフリカの無医村地区の貧しい家庭に生まれた子供たちは悲惨だ。まず周囲から蔑《さげす》まれ苛《いじ》められるので、多くの家庭では子供をただ家の中に隠しておく。あれは人間の子じゃない、動物の子だから付き合うな、と自分の子供に病児と遊ぶことを禁じる無知な親もいるという。口唇口蓋裂の子供はだから小学校にもまともに行けないということになり、もし放置すれば生涯の展望もできないのだが、それに対して国はほとんど無力なのである。

最近民間人が撮った北朝鮮の映像がテレビで放映されたが、北朝鮮では単なる白内障も放置されていて、患者は視力がないので労働もできない。西側の医師が千人の患者に手術をして成功するのだが、患者たちは眼が開くと国民の健康を放置している金《キム》親子の写真を仰々しく拝み、「治ったのは将軍さまのおかげ」と声を上げて褒《ほ》めたたえる。もちろんマダガスカルの患者が放置されているのは、決してそういう並外れた圧制者のためではない。純粋に医療設備が不足しているからなのだ。

二〇一二年になってドクターたちは、二回目の派遣のための準備に入っているが、土地の病院で働いているシスター牧野も、そして日本で働いている裏方の私も、その日が来るまで、どんな問題が起きるかに耐えなければならない。正直なところは、私はいかなる面倒なことも嫌なのだが、問題が起きない人生などないから、毎年それをやり過ごしている。「安心して暮らせる社会」など初めからないと思っているのだ。

現地のシスターたちは、もっと複雑な問題に耐えねばならない。誰かが、昔からあったもう一台の麻酔器の酸素の取り入れ口を理由なくつぶしてしまっている。修理の技術者を呼ぼうにも、現在はマダガスカルにいないか、いてもなかなか来てくれない。麻酔には必須の医療用酸素を必要なだけ手に入れることさえ簡単ではない。すべて日本では考えられない困難ばかりだ。

おまけにアフリカにとっては、自国の子供のために手弁当で来てくれる外国人の医療関係者はありがたい話なのに、医師たちの便宜を図らねばならない、などという視点は全くない。自分の得にならないことには、大多数の人々は全く心を動かされないのである。

人生は想定外そのもの

裏方を務める私は、バンコク―マダガスカル間の飛行機のスケジュールが昨年同様の日にちで飛んでくれるかどうかまで心配だ。突然路線がなくなっても、週に飛ぶ本数が減っても、スケジュールが根本から狂ってくる。個人的なことを言えば、今年は去年に比べて、出発が約二週間遅れるかもしれない。麻酔科のドクターたちが、学会に出席される都合が考慮された結果だが、それだけで南半球にあるマダガスカルでは、どんどん冬の寒さが迫って来る。標高千五百メートルにあるアンツィラベで働くことになる寒がりの私は、揃えなければならない防寒具のことも考えている。

しかし何があろうと、もし神がそれをお望みなら、途中にどんな困難があってもそのことは実現するだろう、と私も思っている。

しかしもしそうでなければ、ことは人間がいくら頑張ってもそうはならない。スポーツの選手には、「頑張ればできる」「為《な》せば成《な》る」と言う人が多い。しかし私はそんなふうに思ったことがない。

アフリカには各地にたくさんの難民がいる。思ってもいなかった内戦、飢餓、暴動、政変などで、住んでいた土地を追われた人たちだ。彼らのために避難用のバスが出るわけではない。ある日、身の危険を感じると、たらいに鍋釜を入れて頭に載せ、牛車があれば布団や衣類を積み込んで出発する。何日も何日も、ひたすら歩くのだ。目的地も避難指定区域があるわけでもなく、隣国に受け入れ態勢が整っているわけでもない。

そうして何日も歩いて行くうちに、隣国の野生保護区域に指定された国立公園に知らず知らずのうちに入っていて、そこでライオンに食われた人たちもいる。

予期せぬことが起きるのが人生だ。まさに「想定外」そのものである。予期せぬという言い方は人間の分際から見た状態であり、神は人間の劇作家以上の複雑な筋立てや伏線を張った物語の展開の後に、その意図されることを示す、というのが私の感じである。

ギリシャのストア学派の哲学者エピクテトスは次のように書いている。

「神々にたいする敬虔《けいけん》のなかで、いちばん肝要なことは、つぎのことだと知るがいい。一つは、神々について、彼らが存在し、そして宇宙を美しく、正しく支配しているという、正しい考えを持つことであり、もう一つは、彼らに服従するようにきみ自身を配置し、すべての出来事に譲歩し、それは最高の知によっておこなわれているのだと考えて、みずからすすんでそれらに従うという、正しい考えを持つことだ。というのは、そのようにすれば、きみは神々を非難することもなかろうし、また無視されていると苦情をいうこともなかろうから。」（『世界の名著　13』中央公論新社）

人間の努力がなくていいわけではない。しかし努力でなにごともなし得るというわけでもない。そう思えることが、一人前の大人の状態だ、と私は思って来た。

第三話「もっと尊敬されたい」という思いが自分も他人も不幸にする

「自分の不運の原因は他人」と考える不幸

年のせいと笑われているのだが、この頃、弱い、卑怯《ひきょう》な日本人が増えたような気がしてならない。そういう人々の多くは、健康状態も申し分ない。外見もいい。教養や学歴も充分。親も良識ある家庭の人たちである。それなのに、そこに育った若い世代は、いつも及び腰で、周囲に文句ばかり言っている。

一番おかしいのは、或る金融機関に勤めている若者なのだが、職場そのものが、期待を裏切ったのだという。彼がどのような期待を持って、金融界に入ったのか、私にはもちろん知る由もないのだが、少なくとも経済そのものについて全く知らない私などと比べると、理解力も他の広範な知識もあり、はるかにその仕事に向いていると思われたから、その一流銀行を受験して受かったのだろうと思う。

しかしどんなに事前に会社訪問をしても、職場や取引先の人間関係については、誰も就職前から、熟知するということは不可能だ。

隣席の男がお節介焼きかトカゲみたいな冷たい人間か、上役《うわやく》がどんな隠れた酒癖を持っているか、経営陣が作る職場の空気がほかと比べてどんなものか、恐らくすべての職場の人たちは、事前には知らないで就職するだろうと思う。

ということは、他の職場にあることは、自分の職場にも可能性があるということだ。銀行に就職したと思ったのに、銀行が突然、旅行会社を始めたというのなら、少しは問題かもしれない。世の中には、飛行機に乗ることだけは怖くて避けたいと思っている人がいて、その人が一月《ひとつき》に十回も飛行機に乗るような状態に置かれることは、確かに「合理的」でない。しかし金融業が、まともに金融の仕事を続けているなら、そこで働きたいと言った人は、相手が自分を裏切ったという筋合いではないのである。

もっとはっきり言えば世間全体が、さまざまな人間のもたらす偏った性格で動かされている。そんな単純なことさえわからない人が、難関を通って、一流大学を卒業し、世間の就職希望対象企業の順位で、一、二を争う有名銀行などに入るということの方が問題を孕《はら》んでいる。つまり学問はできても、人間を理解していない人が職場に入ると、気の毒に当人は少しも満足せず、周囲がことごとく不満の種で、しかも自分は、世間と他人から実力を評価されていない不幸な人生を歩み始めてしまったと思い込むようになる。ほんとうにお気の毒なことだ。こうした不幸な人の特徴が、この頃私には読めるようになった。そういう人の特徴は、ことごとく「他罰的《たばってき》である」ということなのである。自分のせいでこうなった、のではなく、何でも他者が悪いのである。

もっとも、他罰的という姿勢は最近の若い世代の流行だ。部長がこういう点を見ていないからだめだ。課長がばかだからだめだ。会議の席で、自分のことを、誰それがこんなふうに無視したのが許せない。それでやる気を失った、と、他人が自分の不運の原因であると立証することを、少しもやめない。

こういう人は、陰気な顔をしているので、私は初めうつ病的で、自信を失っているのかと思っていた。しかし現実は全く反対で、実は意気軒昂《いきけんこう》、自信にあふれ、心理的姿勢はひどく攻撃的なのである。だから「お元気なんですねえ」と私は言ったことがある。私は三十代に鬱々《うつうつ》として楽しめない数年を体験したが、その時は、自信なんか全くなかった。他人が自分を無視していると思う前に、自分が消え入りそうであった。

他罰的であると同時に、そういう人には、感謝が全くないことも大きな特徴である。人も羨むような立場にいる自分の幸運など少しも感じない。出世が早くても当たり前。羨ましがられても当然。会社は「さらにもっと」手厚く自分を遇するべきだ、とさえ言いかねないような思い上がり方をしている。

こういう人物は、しかし多分、意識下では恐ろしく自信がないのではないかと思う。今まで、学歴やその他で、世間が自分を誤解しているほどには、優秀な仕事のできる人間ではない、と薄々知っているのだが、その現実を正視するのが辛《つら》いから、決して自分の全身が映る心理の姿見の前には立とうとしない。

それで遮二無二《しゃにむに》に現状に満足せず、自分はもっと大切に遇されて当然と文句を言うことで自分を支えている。それが劣等感の塊である証拠なのである。

代わりが利かない存在

私の夫は、足が達者で昔から町を歩くのが好きだった。ゴルフなど一度もしたことがない。町を歩けば、毎日違った光景が見られるのに、何で芝生が植えられただけのゴルフ場を、わざわざお金を出して歩くんだろう、と言う。

そういう精神だから、町で会う人には特別の親しさを持って、私に短編小説の登場人物のように話してくれる。水飴《みずあめ》屋の主人とか、お豆腐屋のおばあちゃんとか、その前を通るとよく買って来て、その人たちの近況を喋《しゃべ》るのである。

水飴が料理に便利だと、私は長いこと知らなかった。水飴というものは、子供の頃には一種の貴重品で、喉《のど》が悪くなった時だけ、母は割り箸《ばし》に巻き取った飴をなめさせてくれた。それが嬉《うれ》しくて始終ねだったものだ。

それから何十年か経って、私はゴマメや大学薯《いも》を作るのに、水飴がないとできない、と知るようになった。本格的な佃煮《つくだに》は、専門家を尊敬しているのでその味に頼っていて、家ではあまり作ろうとしないけれど、多分水飴があれば、こっくり濃厚に煮ることができるものも多いだろうと推測はしている。

夫には、散歩の途中で何となく顔馴染《なじ》みになっているお豆腐屋さんが数軒あるらしかった。そういう店は、自分のうちで主におばあさんが昔風にお豆腐を作っているので、その結果おからも売っている。夫はおからが好きなので、それを買って帰って私に煮させるのが目的なのである。うちでは秘書たちも昼ご飯をいっしょに食べるのだが、皆ご飯におからをかけて食べるという、戦前の食事みたいな味を好きになってくれた。

私はお豆腐もおからも、それほど好物というのではないのだが、いつのまにか煮るのはいっこうに苦にならなくなった。ことに私は始終煮魚をしているので、その中でもキンメの煮つけの煮汁などを使えば、おからはまことにいい味になる。

夫に言わせれば、新井白石《あらいはくせき》という江戸時代の儒学者は貧乏だったので、おからばかり食べていた。それで当時の日本人としては、珍しく脳にいい蛋白質《たんぱくしつ》をたくさん取っていたので、それで頭がよくなった、と言うのである。当時、おからは豆腐製造の過程ででる「廃物」だったから、ただで店先に置いてあったものらしい。白石はただの食品で生きていたのである。

「それから比べれば、今は高い」

と夫は言うが、実は顔馴染みのお豆腐屋さんでは、ひどく安いものである。一袋、五十円もしない。夫がそれだけを買ってくると申し訳ないような気がして、私は、

「ついでに、油揚げとガンモドキも買って来てください」

と言う。

ついでに、このテーマには余計なことなのだが、おから炒《い》りの調理法について触れると、炒《いた》めるのに使う油は、わざと野菜の精進揚げを一、二度揚げた程度の古油を使うとおいしい、ということを、私は昔民宿をしている人に教わって以来、謹んで守っている。とは言っても、豚カツなどを揚げた汚れた油はだめだ。あくまで精進揚げ一、二度の程度のものを使う。これはやはり人生の姿勢にも繋《つな》がるような言葉だ。まっさらで現実を全く知らないような人には、おもしろみがない。しかし世の中の悪さに汚れきって平気な人も、使い物にならない。

さらに炒める時間だが、昔これも地方のおばあさんに「おから炒り、というくらいだから、ようく炒らなあかんがや。私らは四十五分は弱い火でしっかり炒るんや」と教えられたことがあったが、これは我が家の口に合わなかった。おからがポロポロに乾きす

ぎて、しっとりとした味を失ってしまったのである。秘伝というものは、拒否せず、丸飲み込みをしてもだめ、ということなのだろう。

炒める油には、使い古した油だけでなく、新しい胡麻《ごま》油も少し混ぜて使う。これも人間の生活と似ている。年寄りだけでもだめ、新人だけでも頼りない、という人生の味わいの極意と似ている。野菜はニンジンとゴボウとネギの細かく切ったものを入れるのだが、この根菜類は、愛があれば実に細かく切ったものを使うようになる。一ミリくらいの超みじん切りである。実は私は包丁捌《さば》きが少しもうまくない。性格も荒っぽい。だからうちではお手伝いをしてくれる人の優しさと綿密さに頼って、ニンジンとゴボウを切ってもらう。そしておいしいおからができれば、私は自分の手柄のような顔をすることにしている。

夫は、ガールフレンドみたいなおばあさんに「冬なんか寒くて辛い仕事でしょうけど、頑張ってずっとお豆腐を作って、僕におからを売ってください」と言うらしい。すると「まあ、私が生きている間だけはね」という素っ気ない言葉が返って来るという。このおばあさんは、私と同様、算数が苦手らしい。おからと、ガンモドキ二枚、揚げ三枚で、

「いくらですか」と夫が尋ねながら千円札を用意していると、「あそこの札に値段が書いてあるから、その箱の中からお釣りは取ってってください」と無愛想なのだという。おばあさんは、お豆腐を作る作業には関心があるが、商売にはきわめて不熱心なようだ。

このお豆腐屋さんの家族のことなど、夫は全く知らない。一、二度、息子らしい人が店に現れたのは見たけれど、夫がそこを通りかかる朝早く店にいるのは、おばあさんだけという場合が多いようだ。だから息子さんは、それこそ銀行にでも勤めているのかもしれない。

しかしおから好きの夫にとっては、このおばあさんの存在はありがたくて仕方がないのである。最近は知らないのだが、一時、近代的なスーパーでおからを売っているところがあって、そこで京都のお寺さまの名前を包装に借用したようなおからを売り出していたことがあった。つまりそこのお寺の手作りのおからできわめて高級なものである、という触れ込みで、値段も信じられないほど高かった。しかしその味は、我が家では不評であった。やわらかいといえばそんな感じもするのだが、うす溶きで水っぽく、食感がしっかりしない。おからというものは、貧乏人も食べられた庶民的なもので、その歴史的な存在感が感じられないと、少しもおいしくない、とうちの家族は言うのである。

夫のガールフレンドのおばあさんの作るおからは、特に名品というのでもない、ごく普通のものだろうけれど、立派に庶民の味だ。最近はおからも、もう出来上がったものを小さな容器に入れて、二百円とか二百五十円とかで売っているものをデパ地下で買って来る人が多いというが、それは家庭が少人数になったから致し方がないのだろう。私の家のように、昼は小型の社員食堂よろしく、六人も食べる日があるうちでは、おからはやはり大ぶりの鍋を使って作らねばならない。しかし少量だからおいしく作れるものと、大量に作らなければおいしくならないという料理とがある。総じて安い食材のものは、大量に作った方がおいしい。よくできた話なのである。

こうした町の中心人物の伝記を書いたらさぞおもしろかろう、と思うことはあるが、私は伝記というものを信じないし、それを他人が書けると思うことにも抵抗がある。他者の生活に軽々に立ち入ったり、他人の生涯を理解できると思う方が、私には恐ろしいのである。しかし少なくとも、このおばあさんは、自分の店でお豆腐を作れるのは、自分が生きている間だけ、ということを知っていた、ということにはまちがいがなかろう。

この女性の毎日は、代わりが利かない存在なのだ。現在、自分がいなければ困る、という場にいるのだ。

老人なのに成熟していない人

定年後、自分のしたいことを見つけていない人も、老人なのについに成熟しなかった人だと言っていいだろう。自分の生活（掃除、炊事、洗濯など）さえ自分でできない人も、自分の生きる場がないように思えて空しく感じているだろう。

若いエリートでさえ、自分が今いる場所に、果たして自分がほんとうに必要なのだろうか、と疑っている人がいるだろう。自分を首にしても明日から代わりがあると思うと、自分の尊厳に自信が持てなくなるからである。

しかし自尊心が強くて、いつも威張って不遜《ふそん》で、まだ自分は尊敬され足りないということで常に不幸な人というのがいることを、私は今回書きたかったのである。それはお豆腐屋のおばあさんと、心理的に対極的な場にいる人だ。

お豆腐屋のおばあさんは既に確固として町の英雄なのだ。その人がいないと困ると思っている人が確実に数十人いる。

しかし威張って、不遜で、自己中心的で、評判を恐れ、称賛を常に求め、しかも現実の行動としては他罰的な人というのは、世間の人が率先してお辞儀をする名門だという評判があろうと、学歴がよかろうと、出世街道をまっしぐらに走っていようと、既に地位や財産を築いているように見えようと、実は不安の塊なのである。

自分の生涯の生き方の結果を、正当に評価できるのは、私流に言うと神か仏しかいない。だから他者に評価や称賛を求めるのは、全く見当違いなのだ。ばかにされることを恐れることほど、愚かなことはない。もし私がほんとうにばかなら、ばかにされるという結果は正当なものだし、他人が不当に私をばかにしたら、もしかすると別の人が、私をばかにした人をばかだと思うかもしれないのだ。

だからそんなくだらない計算にかかずらわることはない。そういう人生の雑音には超然として楽しい日を送り、日々が謙虚に満たされていて、自然にいい笑顔がこぼれるような暮らしをすることが成熟した大人の暮らしというものだ。町の英雄は、決して他人の出世や評判を羨んだり気にしたりしないのである。

第四話　身内を大切にし続けることができるか

憎む相手からも人は学べる

絆《きずな》という古い言葉が東日本大震災以来、急に思い出されるようになった。糸偏に半と書く漢字が、普段は本を読まない若い人々の間にも浸透し、誰もが読めるようになったのだから、少なくとも漢字の普及にはお相撲さんたちの名前に次いで、確実に知識を一段深めたことになる。

私は根性が曲がっているからだろう、地震後に「改めて絆の大切さがわかった」などという言葉を、十代の青少年からならともかく、いい年をした大人の口から聞くと、しらけた気持になる。

人はもともと一人では生きられるものではないのだ。私たちが今日ここまで生きて来られたという重い現実の背後には、長い年月にわたる数えきれないほどの人たちの存在のおかげがあった。私たちはその相手にいつもお礼を言っていたわけではない。

人間関係の中には、喧嘩《けんか》したという負の繫がりさえ発生するものだ。しかし現実には、憎しみや嫌悪を持つような人間の関係からでさえ、私は多くのことを学んだ。私が、少しは複雑な精神構造の人間になれたとしたら、そうした醜い人間関係を体験し、それを深く悲しみながら学んで来たからだろう。

言うまでもなく、被災者の年齢はさまざまだ。しかし少なくとも成人に達していたら、自分が親だけでなく、友人にも、日本という国家を作り続けて来たまだ会ったこともない社会のどこかで働く他人によっても、育てられ、助けられて来たという自覚がない方がおかしい。大震災があったから、初めて人間は他人と常日頃から深い繫がりを持たねばならない、と自覚したとしたら、あまりにも幼いか、功利的だ。

昔は、震災、空襲、火事などに遭った時、政府が今のような救済の手をさしのべるということは一切なかった。被災者は必ず親戚やごく親しい知人の家などに逃げ込んだものだった。もちろんすべての縁者が親切だったわけではない。行った先で邪魔者扱いされたり、その家の人が食べているものを、一片も分けてもらえなかったという悲しい体験談も聞いたことがある。

しかし問題は、今の人たちは、そういう逃げ込むことのできる親戚も友人も持たないらしいということである。親戚や知人ではなく、国家がそれをやるべきだ、と思い込んでいる。

昔はしかし、逃げて行く方も、受け入れる方も、贅沢《ぜいたく》は言わないものだった。六畳一間を明け渡してあげれば、被災者夫婦に子供二人は暮らせる、と計算したのだ。お風呂は時間を決めて次々と入り、テレビも相談の上で番組を決める。

最近のように、子供たちにテレビつきの一部屋を与えなければいけないなどという贅沢は考えもしないし、人間はそもそもは、大部屋で雑居する暮らしが原型だったのだ。

カトリックの修道院の第一歩は、共同生活に耐えて一生を暮らすことだった。隣に眠る人とカーテン一枚しか遮るもののない空間に自分のベッドがある。食事は決められた時間に、出されるものを無言で食べる。そこでは、寝たい時に寝るとか、食べたいものを買って来て食べるなどという気ままは、全く許されない。

ヨーロッパなどの、日本にはないような爵位を持った家とか、大財閥の娘に生まれたような人でも修道院に入ると、まず最低この「人と共に」いる試練に耐えるのである。

絆は昔から実に重いものだ、と皆わかっていたのである。その基本は、日本では親子が同居することだった。

それが戦後、欧米では夫婦で暮らすのが当然だと言って、多くの若い夫婦が親との同居を拒否した。実を言うと年寄りの方もわがままになったと言っていい。

私たち夫婦は、三人の親が自宅で息を引き取るまで同居したが、私たち自身は、子供の就職先が地方だったこともあって、ずっと別居している。そして老世代も、息子の一家などと暮らすよりは、自分たちだけで好きなように生活する方が疲れなくていい、などと身勝手を言うのである。

しかし絆の基本は、家族が普段から心をかけ合うこと以外にない。もちろん友人も職場の人間関係も大切だが、親子兄弟の繫がりを断っておいて、今さら「絆が大切」もないものだ、と私は思う。

この世で最高におもしろく複雑なものは「人間」

もちろん親子兄弟の中には、「とうていいっしょに住めない」「始末に悪い」血縁もあるだろう。お金を持っていながら、僅《わず》かな品物を万引きする癖のある年取った親も困る。酒癖が悪かったり、ワルクチを触れ回る兄弟なども、できれば無縁でいたいものだと思う気持が、私にはよくわかる。

しかしキリスト教の信仰は、自分の生は神から与えられたものだ、と思うと同時に、他人の中にも神がいるという認識を持つのである。

だから都合の悪い相手を見捨てることは、神をも拒否することだ、ということになるから、それはできない、というジレンマに苦しむ。

この世で、最高に重要でおもしろく複雑なものは「他者」つまり「人間」で、その人たち全般に対する感謝、畏敬、尽きぬ興味などがあれば、常日頃「絡んだ絆」のド真ん中で暮らすことになっている自分の立場も肯定するはずだろう、と思う。地震があってもなくても、それが人間の普通の暮らし方というものなのだ。

今まで、自分一人で気ままに生きて来て、絆の大切さが今回初めてわかったという人は、お金と日本のインフラに頼って暮らしていただけなのだ。身近の誰かが亡くなって初めて、自分の心の中に、空虚な穴が空いたように感じた、寂しかった、かわいそうだった、ということなのかもしれないが、失われてみなければ、その大切さがわからないというのは、人間として想像力が貧しい証拠だと言わねばならない。

それに人間の、他の人間の存在が幸せかどうか深く気になってたまらないという心理は、むしろ最低限の人間の証《あかし》ということで、そういうことに一切関心がないということは、その人が人間でない証拠とさえ言えるのかもしれないのだ。常に、現状が失われた状態を予測するという機能は、むしろ人間にだけ許された高度な才能である、と言ってもいいかもしれない。

もっとも動物は、遠くから水のありかを本能的に嗅ぎつけたり、風の音やちょっとした木や草のざわめきのようなものから、自分を捉えて食べようとする危険な敵の接近を知るらしいから、人間の論理的な推測と違って、動物は動物なりに、現在はまだ眼に見えていない状態に対する予測能力はあるのかもしれない。

しかし自分が将来、被災者になった時、あらゆる面で自分を助けてくれる人がいないと困るということで、絆が大切だと思いついたとしたら、それはずいぶんと身勝手な話だ。絆とは与えられることでもあるが、与える覚悟でもあるからだ。相手のために時間を割き、金を出し、労働し、不便を忍び、痛みを分かち、損をすることなのである。

もっともその代わり、たいていの人がそれによって大きな精神的な幸福を与えてもらうこともほんとうだ。

改めて思うのは、ユダヤ人の「同志」という言葉の解釈だ。日本人は簡単に同志になる。会話で一致点を見つけたり、規約にサインをしたり、同好会で親睦を深めたりすれば、それで同志になったと思う。

しかし赤穂《あこう》浪士の話が今でも芝居として不変の人気を保っているのは、それが数年の忍従の年月を経て、最後には命までも差し出すという点にある。

ユダヤ人たちも同じ考えだという。同志の資格ははっきりしている。それは趣旨に賛成するなどという生ぬるいものではなく、共通の目的のために「血か、金を差し出す人」という条件がついている。

つまり命の危険も納得し、金と言っても千円や一万円の寄付ではない、自分の財産のすべてに近いような金を差し出す人というのが同志の資格である。それ以外の、心情的同調者や、懐も痛まない程度の寄付をするような人は、決して同志でもなく、多分絆を結んだ人でもない、とユダヤ人たちは言うだろう。

東日本大震災から満一年を迎えるに当たって、果たして日本人は、立派にこの災難を迎えたのだろうか、という失望の空気が流れ始めた。その端的な表れは、被災地の膨大な量の瓦礫《がれき》を引き受けることを拒んだ多くの地方自治体があったことだろう。瓦礫は焼却して量を減らし、かつ放射線量も厳しく測定して、数値が安全圏に入った状態で引き受けてもらうというのに、それでもなお、拒んだ土地も人もたくさんあったのだ。

それ以前にも、被災地のものは一切持ち込ませないという運動がずいぶん報じられたものだ。被災地のナンバーをつけた自動車への嫌がらせや、慰霊のために被災地の木材で作った小さな木片さえ持ち込ませない、と騒いだ住民運動もあった。

もし絆が大切だと言うなら、その心の証はさしあたり瓦礫を引き受けることだろう。それさえ利己的に嫌なら、自分は人に優しいとか、人道主義者だとか言わないことだ。

自分は、自分の命だけがかわいくて、自分の不利益になることは一切いたしません、と明言すれば、まだしも人間として一貫している。

相手の悪い運命をも引き受けられるか

世間にもマスコミにも、絆というものを、急に甘くもてはやす風習ができた。

作家が自分の著書を寄付して被災地に送るという運動にも、私はついていけなかった。被災して一年以内は、落ち着いて本など読める状況にない。体は疲れているし、読書に適した穏やかな環境が整っているわけではない。

私は徹底して俗物であった。何か送るなら一番有効なのは、金を差し出すことだと思っていた。今回、被災地に送られた救援物資の中には、配る方途も限られ、しかも差し出した方が自分が要らないものを送りつけたという感じの無駄なものがけっこうあって、それが莫大な料金のかかる倉庫で何カ月間も配られる当てもなく保管されている、という光景をいつかテレビで見た。使いかけの封を切った生理用品を送りつけた人もいるというボランティアの人の話はことに身に応《こた》えた。

災害というものは、突然、新しい差別を生むものなのだろう。そこには運以外の何ものもないのだが、被害を免れた人は、被災者に対して優越者だという奇妙な構造上の錯覚を生むものらしいのである。

かつて一九八五年の飢餓の年のエチオピアでも、私は同じような無礼《ぶれい》を見た。日本から送られて来た援助用の衣類の入った木箱には、子供用のパーティー・ドレスが少なからず含まれていたのである。

高地であるエチオピアは寒さが身に染みる。ことに文字通り、裂けたTシャツや着たきり雀のボロ服を着ただけの子供たちは、寒さに震えている。彼らの欲しいものは、まともな長袖のシャツであり、ズボンであり、セーターなのである。自分の要らないものを援助の品として廻《まわ》して、自分も被災地にものを送ったとして満足するという心理は、一体どういうものなのであろう。

震災後も、多くの外国人が、実際に手助けをしに来てくれた。一カ月日本円にして三千円にも満たない額で、一家が暮らしているような貧しい人がたくさんいる国でさえ、貴重なお金を集めて送ってくれた。

聖書は、貧しい寡婦が、少額の硬貨をエルサレムの神殿の賽銭《さいせん》箱に入れる姿を、イエスがよそながら見ていて、「この貧しいやもめは、だれよりもたくさん入れた。あの金持ちたちは皆、有り余る中から献金したが、この人は、乏しい中から持っている生活費を全部入れたからである。」（ルカによる福音書21・4）と言う場面を記録している。金は人の心を計るが、一万円が同じ一万円ではないのだ。貧しい人にとっては、それは我が身を削る大金だが、富裕な人にとっては一千万円も端金《はしたがね》なのである。

絆は、我が身の便利や安全保障の意味から結ぶものではなく、のっぴきならない関係で、あらゆる人の周囲に本来は張り巡らされているものだ、と私は思う。それを日本人は、今まで気づかなかったか、それとなく拒否して来ただけなのだ。

絆は、自分の心の寂しさや、物質的な困窮を救ってもらうために必要な関係ではない。むしろ絆は、自分の周囲の人たちの、悪い運命をも引き受ける覚悟をすることなのである。

自分の著書など、肉親や、家や、一生をかけた自分の仕事を失った人たちにとっては、何の慰めにもならないと思っていることを書いたが、震災後、コンサートを開いて被災者を元気づける、という発想も私にはわからなかった。もちろん音楽で慰められた人も確かにいただろう。しかし日本全土が壊滅したあの戦後、人々は音楽など聞きに行ける心境ではなかった。大切な家族を失い、お金もなく、コンサートなどというものが開かれていたとしても、一般庶民はそのことを知らなかった。

私たちにとって毎日の暮らしに必要なのは、雨の漏らない住処《すみか》、毎日食べるお米、洗濯に必要な洗剤、長靴やリュックなどの暮らしに必要なもの、そして冬の寒さを防ぐ布団やオーバーなどの衣類であった。食べ物は、おいしいものなど願わなかった。満腹になることが第一の願いだった。

その様相は今でも貧しい国々で変わらない。ささやかな新しい農法でほんの少し今年の農産物の収量が増えたアフリカ・ブルキナファソの貧しい農家の寡婦に、「よかったですね。お金が入ったら何をしますか？」と聞くと、「家族で腹いっぱい食べたいです」と小さな声で答えたのを、私は今でも忘れない。

震災を利用するような催しも私は失礼だと思う。先日も自分の作曲した曲を披露する音楽会に「被災者に捧げる」という言葉をつけていた人がいたが、別に特に捧げると書かなくてもいいことだろう。今回のいい曲はどうして生まれたのですか、と後になって聞かれたら、「地震がきっかけでした」と答えればいいことだと思う。

私が天災を受けた人を主人公にした短編を書いて、わざわざその作品を被災者に捧げます、などと付言したら、それはやはり嫌味な行為と思われるだろう。

絆の条件は、絆を結んだ相手の、悪い運命をも引き受ける覚悟をすることだ。被災者に同情する小説を書くことではない。今年震災後、一年目の状態で言えば、絆とは、被災地の瓦礫を引き受けることだ。絆は二つの条件を伴う。

第一は、自分に近い人との結びつきから始めることだ。親や兄弟を大切にすることだ。遠い他人にいっときの親切を尽くすことは簡単で誰にでもできる。しかし身内の人に、生涯を賭けて尽くす決意をすることの方がずっとむずかしく意味のあることなのだ。それこそ絆の本質である。

第二に、絆は、長い年月、継続することである。震災記念日や何かの催し物のある時にだけ、人道的な行為をすることではない。この世の仕事というもの、すべて淡々と長い年月日常的に継続してこそ本物なのである。

第五話　他愛のない会話に幸せはひそんでいる

晩年を幸福感で満たすために必要なこと

高齢者が増えると、介護の手が足りなくなる、ということはもうずっと前から眼に見えていたことだ。ことに、高齢化が進んでいる日本などでは、今にどうにもならなくなる。善意があっても、老人の介護をできる元気な若い人は手薄になる道理である。

それがわかっているのに、日本の政府はいっこうに労働移民を許さなかった。日本の近くにはフィリピン、タイ、インドネシアなどの他に、労働者を出したい国がいくらでもある。それでもそれを受け入れなかったのである。最近でこそ、外国人の介護福祉士を受け入れた。二〇一二年は経済連携協定（ＥＰＡ）に基づき受け入れたインドネシア人とフィリピン人の介護福祉士候補者九十五人が初めて国家試験を受験し、三十六人が合格した。二〇一二年一月の有効求人倍率は全体の〇・七二倍に対して、介護職は一・九六倍で常に人手不足の状態だったという。

政府の対応は、大風が吹いて木が倒れてから、やっと小枝を払ったという感じである。その理由が徐々に解明されては来たが、インドネシアあたりから、家族のために覚悟を決めて出稼ぎに来るけなげな女性はいくらでもいるというのに、それを柔軟に受け入れる制度をどうしてもっと早く有効に作れなかったかというと、それは語学の問題だというのである。

移民介護士も日本語で筆記試験を受けなければならない。「介護」の護の字を正確に覚えるのだって、外国人には大変なことだろう。

日本で介護士になれれば、他の近隣の国で働くのよりはるかに多くの収入が得られ、それを郷里に送金できるのだから、苦労するだけの甲斐はあるというものだが、それでも日本語学習の費用は一部国からの支援はあるものの、施設側の負担となっているので、もしそれに落ちれば、施設側は日本語教育に投資した人を帰さなければならなくなる、というので、受け入れ希望施設の数も減りがちだという。

何か考え方が硬直しているのだ。

昔の介護は、基本的に自宅で家族がしたものだった。嫁さんはこっそり手を抜き、息子は忙しくてしかもぶきっちょ、かわいい孫たちはおじいちゃんおばあちゃんに優しくはしたいのだが、咳《せ》き込んだらどうしてあげたらいいのか、正確には知らない。

しかし皆が手さぐりでやって来て、それぞれの家庭で年寄りの最期を見送ったのである。介護というものは、そういうものだ。つまり食事と排泄《はいせつ》と体をきれいにすることが実務だが、そのほかに大切なことは、病人や老人を楽しくすることだったはずだ。

私にも体験があるのだが、晩年の年寄りは次第に体が辛く、心に余裕がなくなる。耳は遠くなり、食欲は失せる。その中で、ちょっとした会話がどれだけ大切かということを身に染みて感じるようになるはずである。

要は、介護をする人は、人間的に優しければいいのである。日本語で医学用語をたくさん知らなくても、車椅子を窓辺に押して行って、梅が咲いていたら、「おばあちゃん、花、きれいネ」で充分なのだ。おばあちゃん、花、きれいネの三つくらいの単語は、日本に来て必ず一カ月くらいの間には覚える。梅という単語を知らなくても「花、何て言うの？」と聞けば、病人のおばあちゃんの方が「ウメ、って言うんだよ」と教えてくれる。「何て言うの？」という質問の形もまた、外国人にとっては語学研修の第一歩だから、必ず覚えている。そして教えるなどという機会もめったになくなったおばあちゃんの方も、若い娘さんから、「おばあちゃん、ありがと。わたし、また一つ日本語覚えたよ」と礼を言われようものなら、幸福感で満たされる。介護のために特に専門的な単語はさしあたり知らなくても、介護はできるのだ。

一メートルボックスの幸福

私は二十年間ほど、シンガポールで年に一、二カ月を暮らしていたので、そこでの労働移民の生活をよく見聞きした。ごく最近でもまだ、シンガポールの新聞には、メイドさんたちには週に一度の休みを取らせるべきだ、という記事が出るくらいだから、原則メイドさんには休みを与えない、という家庭もまだけっこう残っているように見える。

もちろん雇い主の家に泊まり、食事もすべて雇い主が与える。多くのマンションにはメイドさんのための部屋というものがついていた。私たちが買った古マンションには、冷房なしの六畳ほどの部屋と、狭いながら専用のトイレとシャワーが付いていた。私たちはメイドさんを使わないので、その部屋を冷房つきの部屋に改造して、泊まり客用の部屋に使っていた。雇い主と使用人という区別ははっきりしていたが、普通はかなり厚遇していた。家庭で中華料理を食べに行く時でも、メイドさんを連れて行ってあげる家族もけっこういるし、ほんとうに稀だが、三十年間勤めたメイドさんに、家族のいない女性がその全財産である数億円を譲ったという話が新聞に載っていた記憶もある。

もちろんお互いの性格にもよるのだが、温かい人間関係ができることも多い。メイドさんの中には、夜もおばあちゃんのベッドの裾に自分のマットレスを置いて寝て、おばあちゃんが声をかければいつでも起きて面倒を見る、という人もいる。

そういう人は、日本式のルールに則《のっと》った介護などしなかったろうが、おばあちゃんとのんきに生活を共にしていた。それがほんとうの親身の介護だったろう。

反対に意識の朦朧《もうろう》とした年寄りから、何度も宝石やお金などをくすねていたという典型的なワルもいるわけだ。だからシンガポールの生活は、原則引き出しには鍵をかけるものだったが、そういう暮らしになれていない私は、つくづく他人が家にいないというのは何と楽なことだろう、と思っていた。

しかしシンガポールの生活の中で私の心に大きな比重で残っていたのは、こうしたメイドさんたちの、原則としてははけなげな生活である。メイドさんたちには未婚の女性もいたが、既婚者もけっこういる。二年に一度の休みを利用して国に帰るだけで、後は故郷に、親と夫と子供を置いて出稼ぎに来ているのである。

私と夫は、日曜日に「よき牧者のカテドラル」と呼ばれる教会のミサに行った。それはマレー語で「濡れ米通り」と呼ばれる大通りに面していた。昔海で濡れてしまった米を、そのへんに広げて乾かした場所らしいのである。その大寺院にあふれているのはカトリック教国・フィリピンから来ているメイドさんたちだった。最近ではケイタイ電話を持つ人もいるだろうが、そのお金さえ惜しめば、故郷の家族の安全と健康を頼めるのは、彼女たちにとっては神しかいない。その祈る姿に、私は深く打たれたものだった。

しかも彼女たちの家庭は、そんなに安心できるものではなかった。多くの家庭が貧しいからやむなく妻であり母である彼女たちが出稼ぎに出たのである。病気の父親がいたり、畑を親戚に騙し取られたり、問題は無限にある。夫が女を作って出奔してしまって行方がわからないという家で、主婦であり母である人が働きに出なければ、子供たちは食べていけない。夫にちゃんと仕事と稼ぎがあれば、一家の主婦であり母である人が家を空けたりはしないだろう。夫たちは病気だったり、犯罪者で刑務所に入っていたり、麻薬中毒だったりしている。「彼女はしっかりした人だけど、あんな夫は、刑務所にいた方がかえって安心するんじゃないの？ うちにいたらまたヤクをやったりして心配の種は尽きないんだから」とはっきり口に出して言う雇い主にも会ったことがある。

不思議なことに、こうしたメイドさんたちには、よく優秀な成績の子供がいる。「クラスで一番で、今度表彰されるんですって」というような話を雇い主がすることもあった。雇い主はそれに対してお祝いの金一封を贈ったりする。それでもメイドさんは手放しでは喜べない。卒業試験を受けさせてもらうのにさえ、校長だか受け持ちの教師だかに賄賂を贈らなければ受験を許されない。日本人のとうてい想像のつかない世界である。

そうして故郷への気がかりをいつも心に秘めながら、彼女たちは、日曜日にはまず教会に行き、その後、特定の街角にたむろして、立ったまま何時間でも同じ国や故郷から出て来ている朋輩《ほうばい》や知人と喋るのである。それが日曜日にまともに休みをもらえる幸運なメイドさんたちの息抜きの仕方だった。

喫茶店に入るような無駄なお金はない。外で昼食を食べるにしても、せいぜいで、ハンバーガーやフライドチキンを買って、木陰のベンチを見つけて食べるくらいだ。そこでもっと待遇のいい勤め口はないかと、お互いの情報交換もする。

そのメイドさんたちの、日曜広場の近くには、ショッピングセンターになっている古い細長いビルがあった。偽物だかほんものだか知らないが時計や指輪などを売る宝石屋や、安いカバンを売る店や、銀行と両替え屋などが軒を連ねている。ほとんどがメイドさん専用の御用達店《ごようたし》である。中には、一メートル四方のかなり大きな箱にいっぱいなら、何を入れても六千円という単一の送料で、フィリピンまでの輸送を引き受ける店もあるので、メイドさんたちは始終お金を貯めてその箱いっぱいの家族への贈り物を発送するのに心をこめるのであった。

中は主家からもらったりバーゲンやフリーマーケットで買ったりした古着などを詰め込む。自分の家族の分だけではない。一族皆が貧しいのだから、従姉が嫁に行った先の夫の弟の一家の服まで心にかけている。良家の奥さまたちは、町中のデパートで買い物をすると、よく景品をもらって来る。化粧品を入れるポーチとか、小さな小さな真珠をつけた耳飾り《ピアス》とか土鍋とかである。奥さまたちは今さらそういうものは要らないから、メイドさんたちにやる。すると彼女たちは喜んで一メートルボックスに入れる。この幸福の箱が着いた時の家族全員の歓びようが、眼に見えるからである。

しかし政府は決して甘くない。無制限に移民を受け入れて、後でシンガポールの社会構成にひずみが出るような甘い政策を許してはおかない。といっても私は決して制度に詳しくはないのだが、こうした外国人移民を対象にした口入れ業は、厳重な政府の監督下にあり、すべて当人の意思がシンガポール政府の意図するところに違反しないか確認を取った上で、就労を許すようだ。つまり雇う側にも、労働を提供する側にも、きちんと責任を負わせて野放図な人口の流入は防いでいるのである。

一番端的にそれを表しているのが、半年ごとに移民は出頭を義務づけられ、その時、妊娠検査が行われることだ。妊娠反応が陽性なら、即刻国外退去を命じられる。つまり入国就労の時、この国では結婚も出産もいたしません、という誓約をしているのである。

もちろん、フィリピンのメイドさんがシンガポールの男性と愛し合って、子供を持つことはありうることなのだが、それなら外国で家庭を築いてください、ということなのだ。「でもシンガポールは、永住権を取って移民して来てくれる人を望んでたじゃない」と或る時私は聞いたことがあるのだが、それは財産、教養、信用のある職歴を持つ人たちの移住を望むのであって、必ずしも誰でもいいから移民を欲しがったのではない、ときちんと教えてくれる人もあった。こういう場合、日本のようにすぐ人権とか平等とかを持ち出して、外国人にも全く同等の扱いをせよ、というような国を私はまだ見たことがない。アメリカでも、いざ事に当たってみると移民に対しては厳しい面があり、国籍を取ろうとでもすればさまざまな障壁にぶち当たるという。

誰しも自国にとって益になることをするのが基本で、それは少しも悪ではないのだから、それに抵触するような見え透いた人道主義は取らないのである。

最期を迎える老人の心は柔軟である

年取った人たちが望むことを、私もまた当事者としてよく理解できるようになった。

私たちの父母たちの最期を見ても、誰も大して手厚い看護や介護を望んだのではない。多くの年寄りは、自分の立場をよく理解していた。だから飢えない程度の食事、不潔と言われない程度に体をきれいにしておく介護ができれば誰も文句は言わない。

とすれば、言葉などよくできなくても、介護は誰でもいいのではないか。というか優しい心根を持った人がいつも身近にいて、他愛のない会話を交わしたり、共に庭の小鳥をおもしろがったり、孫のような外国人の介護士さんに、「おばあちゃんはどうしてそう聞き分けがないんだろうねえ」と嘆かれたりしながら、人生の時を共に過ごしてもらえればいいのである。

私の友人の母上は、英語で育った人だった。もちろん後に日本で教育を受け、いつも和服をきれいに着こなす優雅な明治生まれの女性だったが、がんの末期を迎えると急に話す言葉が全部英語に戻ってしまった。

娘に当たる私の友人は病院に泊まり込んで通訳をしなければならなかった。これもけっこう大変なことであった。看護者の代わりが利かないのである。こういう病人だって今後は必ず出て来るだろう。なぜなら帰国子女なるものがたくさんいる時代には、その人たちが年を取れば、日本語より英語の方がよくわかる日本人のおじいさんおばあさんになるからだ。その時には、日本語ができなくても、英語だけがわかれば充分という看護師さん介護士さんという存在がいてもいいのである。

最期を迎える老人の心理は、逆にもっと柔軟なものだろう。言葉が通じなくて少々の手違いがあっても、年寄りは、自然に愛してもらえればいいのだ。フィリピンやインドネシアの女性たちは、たいていが大家族の中で育ってきた。病気になっても、年を取っても、病院や老人ホームに入れてもらえる人などめったにいない。貧しいから医療の恩恵を受けることを当てにできないのである。その代わり、家族全員が代わり番こに年寄りの面倒を見る空気を子供の時からよく知っているのである。手をさすり、道端に生えていた雑草の花を取って来て見せ、隣の家が飼うことにした野良犬の子供を抱いて来て紹介し、自分がもらったおやつの端っこをおじいちゃんの口に含ませる。

人間の幸福の形というものには定型がない。なぜなら、最期に大切なのは、心の問題だからだ。心の中の幸福の量と質は、厚生労働省もその供給の目安を文書では示せない。

第六話「権利を使うのは当然」とは考えない

感謝が抜け落ちた言葉

雑誌を読んでいたら、野田聖子議員に対して行われたインタビュー記事が出ていた。

この方は子供を持ちたい、母になりたい、という思いが若い時から強く、なかなか妊娠されなかったのをアメリカで卵子の提供を受け、五十歳になってから母になった。

ところが長男真輝《まさき》ちゃんは、幾つもの障害を持って生まれて来て、生後四百日以上、病院で過ごしている。何回もの手術を受け、どんなに辛かっただろうに、その試練を生き延びた赤ちゃんは、小柄なのだろうがなかなかの美男子で、病気があるなどとはとても思えない表情だ。

この高齢妊娠と出産の記録は、野田氏のパートナーで、赤ちゃんのほんとうの生物学上のお父さんが提案されたもので、二〇一二年一月、フジテレビのドキュメンタリー番組、「私は母になりたかった～野田聖子　愛するわが子との411日～」として放送され、話題を呼んだ。私はその番組を見なかったのだが、インタビュー記事は「婦人公論5月7日号」に掲載されたものである。

野田氏自身は、最初はこうしたドキュメンタリーを撮ることに反対だったそうだ。しかし世間からどう言われようと、こんなことが息子の人権を蹂躙《じゅうりん》しているとは思わない。「真輝のあるがままの姿を撮っているだけで、たまたま彼には障害を持っているというファクトがついているだけのこと」とコメントしている。改めて言うまでもないことだが、私の信条も全く同じだ。その上政治家である以上いかなる批判にも慣れている、という考えで、一切のやらせ的な要素は排除して、純粋な記録は完成されたという。

野田氏はこの番組の視聴率にも触れている。全国平均が十五パーセント強にもなり、地域によっては二十パーセントを超えたところもいくつかあるというから、近頃稀にヒットした番組であり、それだけ社会に問題を提起したというわけだ。真輝ちゃんに勇気をもらったというファンレターも、番組後にたくさん寄せられた。「野田真輝は野田総理よりはるかに国民に貢献していると、母は誇りに思う。（笑い）」なのだそうだ。

「実は、子宮は摘出したくなかったのです。『子宮さえ健康な状態ならば、60歳まで産めます』と言われていたので、身体の弱い真輝のためにきょうだいがいれば心強いだろうと思って、もう一人産みたいと真剣に考えていました」

と野田氏は言っている。六十歳まで産めるというのは、医学的可能性としては正しいのだろうが、実際には人間の体は若い時と同じではない。五十歳前後の妊娠が順調に推移するかどうかは、若い母体とはいささか違う危険を含むが、それも妊娠中の血液検査と羊水検査とで、染色体異常などは早々と発見され、親の意思で中絶をするか継続をするか決められる。しかしどれくらいの確率で異常が発生するか、素人が軽々に口にすることではないだろうし、私がいつも感動するのは、医学的な検査で異常が出ても、生まれた子供は正常だったという例を、数回聞いているのである。この子供たちは、もしかすると中絶させられるところを、すばらしい人たちになって、社会で働いている。この問題について、高齢出産はどんなに人間の自然に反しているか、胎児にも危険性が高まるかを述べていた医師の話も読んだし、私も昔産婦人科の医師をモデルにした長編を書いた時、その点について学んだことがある。

夫婦が長い人生の道のりでどんな生き方を選択するべきかは、もちろん当事者にしかわからないことだ。私たちは、夫婦が自分の体力、経済などの許容範囲の中で、法に触れない限りどんな生き方をしてもいいと思っている。

今ここで小説的に、マンションに隣り合って住む二軒の家を想像してみよう。一軒には、慎ましく堅実な老夫婦が住んでいる。月給の中から、毎月一定の額を郵便局に貯金をし、その額を眺めて老後の計画を語るような二人である。外食をしたりデパ地下のおかずを買って来るような無駄は一切しない。妻は料理をきちんとする。ところがその隣の家の夫婦は、麻雀好きだ。休みの日には、友達を集めて日がな一日麻雀をするのが無上の愉しみなのだ。そういう日にはご飯を作る暇もないから、誰かがコンビニに弁当を買いに走る。これくらい生き方の違う夫婦が隣同士に住んでいれば、麻雀好きの夫婦はベランダの掃除の仕方が悪くて、堅実な老夫婦が少しは批判的になることはあるかもしれないが、どうにかお互いの自由を侵し合わないでいられる。

それでいいのである。現代の日本では、かなり突拍子もない自由でも許される。だから周囲が口をさしはさむべきことではないし、野田夫妻に関して言えば、病気に打ち勝って成長している真輝ちゃんの顔を見れば、その存在に異議をさしはさむ人は一人もいないだろう。どうにかして無事に育って欲しいと思うばかりだ。

しかし野田氏のインタビューの中に、私にはどうしても違和感が残る言葉があった。

インタビュアーは、費用はどうして出したのか、と当然の質問をしている。誰もが基本的に持つ疑問だ。それに対して野田氏は、

「えっ？　費用ですか。息子を授かる費用は夫が蓄えてきたものの中から出して、生まれてからの息子の医療費は、医療制度に支えられています。高額医療は国が助けてくれるので、みなさんも、もしものときは安心してください。国会議員の子どもだから特別ということでは、まったくないのです」

この部分に関して、恐らくすべての人は黙しているだろう。何より大切なのは、子供の命の継続だ。それが今、医師の手で果たされている限り、外部から何も言うことはない。野田氏は、高額医療は誰に対しても国が与えてくれるもので、決して国会議員の特

権ではない、という点にまで触れている。

しかし私はまずこの点にびっくりしたのだ。今時高額な医療費が国会議員の家族にだけ払われるというような発想をする人がいるかもしれない、と考えることが、私には全くなかったのだが、野田氏の思考の中には、まだこういう旧態依然とした特権階級意識があることに驚いたのだ。しかしこれは恐らく周囲の人の中に、この手の質問をする人がいたか、いるに違いないという予測のもとに口にされたのだろう。

しかし違和感はそれだけではない。この野田氏の言葉は、重要な点に全く触れていない。それは、自分の息子が、こんな高額医療を、国民の負担において受けさせてもらっていることに対する、一抹の申し訳なさ、か、感謝が全くない点である。

自分の立場を社会の中で考えられるか

もう一度、明らかにしておかねばならないのは、私は野田氏の子供さんに高額医療を受けさせるのはいけない、と言っているのではない。四百日を超す入院と、七度を超す手術の実費がいくらになるのか私には全くわからないけれど、アメリカなら億を超す費用だろうと言う人はいる。

日本でも出生時から必要となる小児ＩＣＵ、その他の手術費などを計算すれば、恐らく数千万の単位になるだろう、と言う人がいるだけで、素人には全くわからない。

野田氏の財産など、私は憶測するのも失礼なことだと思う。しかし一般的に見て、少しくらいのお金持ちでも、このような子供に仮に自費で治療を受けさせるとなると、この先どれだけお金がかかるかわからないのだから、かなりの重荷になるのは当然だろうし、それ以前に医療機関にかかることさえ諦めるような家族も出るかもしれない。

少なくとも、私が度々行っているアフリカの田舎などでは、こういう重度の障害を持つ子供たちは、全く治療を受ける方法がないのである。お金はもちろんない。第一、医師も医療機関もない。国家にそれを援助する資金源も制度もない。

どうしても、治療を受けたければ、フランス、ドイツ、スイスなどに行って専門医にかかるほかはない。しかしそんな費用は夢なのだから、誰もその可能性を考えず、ただ運命に従うのである。そういう病を抱えた子供たちが、充分な医療を受けられるように国民健康保険の制度が作られている日本という国は、世界的に見て「天国のような国」

なのだ。その国民である野田夫妻が、これを利用して子供さんを育てることも、誰に憚《はばか》ることもない当然のことなのである。

これが表向きの理論だ。

しかしそれだけでは済まないと私は思う。私自身が、まず野田氏の言葉に違和感を覚えたのは、野田氏がこのことを、当然の権利の行使と考え、その医療費を負担している国民への配慮が全く欠けていることであった。

私の周囲には、「どうしてそんな巨額の費用を私たちが負担するんですか」と言う人もいる。「野田さんの子供さんがお使いになるのは、ご病気なんですから仕方がありませんけれど、ありがとうの一言もないんですね」と言った人もいた。「もしもの時は安心してください、というのは、遠慮せずにどんどん使えということですか？　そういう空気を煽るから、健康保険は破産するんですよ」という意見もあった。

増税論が始終話題に上るこの時期に、仕方がないとは思いつつ、皆、健康保険料を払うのも大変なのだ。私も後期高齢者医療制度の保険料を年額五十万円以上払っているが、私にもできる唯一のこととして、できるだけ医師にかからないようにしている。

そうすれば、私の払った保険料はもっとたくさん医療費を使う他の病弱な高齢者に廻り、少しでも若い世代が重い費用の負担をする傾向をくい止めてくれるかもしれない、と考えるのである。

昨日、私は十一カ月ぶりで一人の医師を訪ねた。私は現在八十歳だがこの六月にアフリカのマダガスカルに出かける。その前に心臓の異常があると出先で同行者に迷惑をかけるから、どうしても一度は検査を受けておくようにと夫が言うので、その顔を立てて行ったのである。私の健康も百パーセント完全ではない。膠原病《こうげんびょう》の一種かもしれない免疫不全の症状があって、よく体のどこかが痛んでいる。

私がマダガスカルへ行く目的は、二〇一一年から昭和大学病院の形成外科のドクターたちのチームが、アンツィラベという地方都市で、今まで全く治療の機会に恵まれなかった口唇口蓋裂《こうしんこうがいれつ》（兎唇《みつくち》）で生まれて来た貧しい子供の患者に、無料で手術をしてくださっているからだ。私はその後方支援の雑用係の一員である。とは言っても、私は一番年寄りで足を折った後の行動の不自由も残っているので、もっとも役立たずの一人でもあるのだが、私がその町に行くのは、今度で五回目である。飛行機の移動にも二十時間以上かかるのだから、私の年齢の人は行きたがらないのが普通だろう。

何のためにそんな役立たずが行くかと言えば、目的は二つである。医療用の品物の輸送の確実性を確保することがその一つだ。アフリカの路線では、しばしば飛行機会社に預けた荷物が、途中でなくなる。私たちの私物がなくなるのなら何とかなるが、手術に必要な器具や医薬品がなくなったら手術の目的はもう果たせない。私は紛失に対してあらゆる予防処置を考える裏方なのである。

もう一つの仕事は、あらゆる雑出費を払うことだ。一回目の去年もおもしろいことがあった。医療班全員は、修道院経営の入院患者用の病室に泊めてもらうことになったのだが、支援部隊の最初の仕事は、便座の壊れているものを直すことだった。お尻に便座のプラスチックの破片が刺さりそうだという部屋があったのである。そういう修理に必要な物資を簡単に買うことも、才覚のある修理屋が素早く来てくれることも望めないので、我々支援部隊の誰かがそれを直す。そのために、工具一式と共に、電気の絶縁体として使うテープなども推測で日本から材料を用意して来ているのである。

この修理屋、補給屋役のほかにも仕事がある。時々、不埒《ふらち》な役人が出て来て、私たちの仕事にいちゃもんをつける。「あなたの国の子供たちの病気を治すために、ただで来ているんですよ」などとまともな理論をのべても、そんな言葉は一切通用しない。国中、一番上の人から一番下の人まで、役人という役人が、お金をもらわないと動かない文化がアフリカにはあるので、その潤滑油になる、ささやかな「心付け」の金を、できるだけ少なく払うのが私の役目だ。このお金の特徴は正式の受け取りが出ないことだから、まともな組織の会計では払えない種類の出費である。それは当然で、日本でお金を扱う機関は受け取りのない金など、通常は一円も出さないのだ。しかしそんなことをしていたら、アフリカではすべてのことが全く動かない。

人にもお金にも必ずどこかでささやかな使い道がある。私は出版社が、珍しくベストセラーの本を出してくれたので、ここ数年は泡銭《あぶくぜに》が自由に使えるのである。人がどこかで何かおもしろいことに使ってもらえる、その複雑さとおもしろさをわかるようになるのも、年齢のおかげなのである。

私が健康診断に訪れた医師は、私がマダガスカルへ行くのを少しも止めなかった。死は誰にもやって来る。それを引き延ばすだけが生の目的ではない。死の前の生が充実することだけが、意味あることなのだ、とわかってくれる。私が「もうここ数年健康診断も受けておりません。あらゆる薬を飲むと、免疫不全の結果がどうしても出ますので、市販の風邪薬も飲みません」と言うと、痛み止めの投薬もしなかった。

私は手ぶらでクリニックを出た。つまり薬袋を持たされていなかった。こんな体験をした人は稀だろう。風がこの上なく爽やかに私の頬を吹きすぎて私は幸福だった。

話を野田氏のことに戻す。改めてはっきりと付け加えておこう。それはこの真輝ちゃんの治療をやめればいいなどと言う人は一人もいないということだ。誰にとっても、出費の心配などせず、子供さんの治療ができることはいいことなのである。

しかしその背後に、人間性があるかないかで、印象は非常に変わって来る。私だったら「皆さんがお払いになった健康保険料をたくさん使わせていただいて、ほんとうにどんなに申し訳なく、感謝しているかわかりません。この子が大きくなったら、何らかの道で、きっとご恩返しをするように、よく話して行くつもりです」と言うだろう。

成熟した人間というものは、必ず自分の立場を社会の中で考えるものだ。昔はお互いの立場がもっと曖昧模糊《あいまいもこ》としていた。社会は互助制度である健康保険などという制度も全く知らなかったし、困っている人を助けるのは、マスコミなどというものもない社会の中で「そのこと」を偶然知る狭い範囲にいる知人だけだった。

だからすべての援助の元は、個人の惻隠《そくいん》の情だけだった。国家も社会も、長い間、高額のお金を必要とする治療に手を貸そうなどという発想は全くなかった。

手をさしのべる方も控え目なら、受ける方も充分に遠慮して受けるのが当時の人情であり礼儀だったのだ。それが人間の権利だから、堂々と受けた方がいい、などという言葉も信条もなかったのだ。

遠慮という言葉で表される美学

確かに不当な遠慮は要らない。不運や病気は当人の責任ではない場合も多い。生活習慣病は当人の責任だが、多くの感染症や遺伝的に起きる病気は当人のせいではない。

そのような不平等を超えて、だから生まれて来た以上、生きることが人間の使命である。そして人間は生かされ、同時に他者を生かすことのためにも働くようになる。

ところが最近では、受けて与えるのが人間だという自覚は全く薄くなった。長い年月、日教組的教育は、「人権とは要求することだ」と教えた。これが人間の精神の荒廃の大きな原因であった。

しかし少なくとも私は、「人権とは、受けて与えることです」と教えられて育った。最近、私の周囲を見回すと、実にもらうことに平気な人が多くなった。「もらえば得じゃない」とか「もらわなきゃ損よ」とか、そういう言葉をよく聞くようになったのである。「介護もどんどん受けたらいいじゃないの。介護保険料を払ってるんだから、もらわなきゃ損よ」とはっきり言う。

受ける介護のランクを決める時には、できるだけ弱々しく、考えも混乱しているように装った方がいいとか、そういう哀しい知恵だけはどんどん発達する。

昔、少なくとも明治生まれの母たちの世代には、もう少し別の美学があった。その当時の人々は、今の高校二年生までに当たる女学校を出ていれば高い教育を受けた方であった。師範学校とか、戦前の大学を出ている女性などというのは、ほんとうの少数派であった。今の人たちに比べると、教育の程度はずいぶん低かったのである。

しかし精神の浅ましさはなかった。遠慮という言葉で表される自分の分を守る精神もあったし、受ければ、感謝やお返しをする気分がまず生まれた。

私はもう一段階、この問題の深部に触れなければならない。

或る夫婦に子供ができた。やや高齢出産に属する。もうできないだろうと思っていたのに妊娠したという例もある。それでも、と言うべきか、それだからと言うべきか、嬉しさは一入《ひとしお》であろう。しかし血液と羊水検査の結果、胎児には染色体異常が発見された。

それでも夫婦はどうしても中絶はできなかった。自分たちの子供として生まれて来てくれる、という命を、親が拒否することはできない。だいたい、子供の器量や知力を選んで産む親はいないのだ。どんな子でも、それが我が子なのである。そして生まれてみると、その子は、さまざまな体の不備を背負ったトリソミー症候群であった。一般にこの病気を持つ子は、実に多様な症状を持って生まれる可能性がある。「精神遅滞と耳介の奇形、口唇口蓋裂、小眼球症、または眼球欠損症、小下顎《しょうかがく》、多指、心臓欠陥、痙攣《けいれん》、腎奇形、臍《さい》ヘルニア、腸回転異常、掌紋異常」などのうちのいくつかを伴う場合が多い。子供もかわいそうだが、それを一つずつ解決して行くのが、医療と親の義務になるのである。これは大変なことだ。しかし誰も命が助かるなら、手順に従ってその医療行為を行うことに矛盾を感じたりはしない。しかしその場合でも私は親の責任に、いささかの軽重はあると思うのだ。

言い方は悪いが、夫婦の自然の生活の中でできた子に、こうした欠陥があるのは仕方がない。しかし野田夫妻は、体外授精という非常に計画的なやり方で子供を作った。その場合は、いささかご自分の責任において、費用の分担もされるのが当然という気もするのだ。法律にはそんな項目はないのだから、これは、あくまで意識の問題であり、決して強制するものではない。しかしそれも大変なことだ。とすれば、いよいよご自分たちが受けた処遇に対する、感謝が深くなって当然だろう。

野田氏のように権利を使うことは当然という人ばかりが増えたから、日本の経済は成り立たなくなったのだ。使うのが当たり前、権利だから当然、という人が増えたら、結果として日本社会、日本経済はどうなるのだろう、という全体の見通しには欠けるのである。ましてや「野田真輝は野田総理よりはるかに国民に貢献していると、母は誇りに思う」などという言葉は、野田氏が根本的に、人間のあるべき謙虚な視点を失っていて、人間を権利でしか見ない人だということを示している。初の女性総理候補どころか、この部分を読んで野田氏の人間性に失望したという人が、私の周囲には稀ではない。

私たちは誰もが、多くの人のお世話になって生涯を送る。別にお金を出してもらったり、労力において助けてもらったりしなくても、それでも私たちは、他者のお世話にならずに生きていくことはできない。社会の仕組み自体が、多くの人の存在のおかげで動いているからだ。

お世話になっていいのである。他人のお世話にならずに生きていられる人などいない。しかしどれだけお世話になったかを見極められない人には、何の仕事もできない。

政治はもちろん、外交も経済も学問も芸術も、すべては強烈に他者の存在を意識し、その中の小さな小さな自分を認識してこそ、初めて自分の分をわきまえ、自分が働ける適切な場を見つける。

それができるようになるのが、多分中年から老年にかけての、黄金のような日々なのである。肉体は衰えて行っても、魂や眼力に少し磨きがかかる。成熟とは、鏡を磨いてよく見えるようにすることだ。

第七話　品がある人に共通すること

思ったことをそのまま言わない

大人と子供の違いはどこにあるかというと、全体の背丈の中の頭部の比率が違う、ということ。つまり子供は頭でっかちなのだ。やっと歩き始めたばかりの頃は、だから子供はすぐ転ぶ。実はそれがかわいいと言って私たちはおもしろがる。なぜかあまり怪我をしないということもあるだろう。体が柔軟であるからだ。それに周囲も転ぶことを予測していて、普通は少し気をつける。

現在の私の書斎の床にはコルクが張ってある。選んだ理由は、転んでもこの床材は柔らかくて怪我をしにくいので、幼稚園などがよく使っていると聞いたからだ。それに他にもコルクの床は、コーヒーやお醤油《しょうゆ》をこぼしてもすぐ液体を弾いてしみにならない、という理由もある。私の倹約の精神が外見の美に対する執着を凌駕《りょうが》したのである。

しかし子供の方が柔軟でない点もある。それは人格が単純だということだ。

もちろん単純ということは、いい意味である。私はまだ見たことがないのだが、少し自我ができた頃から、天性の嘘つきという子供も稀にはいるらしい。しかしたいていの子供は外向きに考えたり言ったりするということはできない。思う通りを言う。だから平気で「うちのお父さんとお母さん、よく喧嘩するの」と人前でばらしたり、我が家の子供のように、小さい時叔母さんの家に行って出されたメロンを前に、「これがメロンっていうものなの？　ボク生まれて初めて食べた」などと言ったのも、つまり僕はもっといつでもメロンを食べたい、という単純な欲望を外目も憚《はばか》らず表しただけなのである。

しかし大人になると、嘘をつく。いや、言い方を換えると、嘘がつけるような複雑な自我を構成する。だから子供の小説家というものはいない。この際、嘘という言葉にもいささかの註釈《ちゅうしゃく》を加えねばならない。保身のために見え透いた言い逃れをするのはいわゆる「嘘をつく」ことなのだが、一人前の大人は、必ず心に思ったことと、表現の間に意識的な落差を生じているものなのである。思ったことをそのままずばりと言ってもしろがられているように見える人もたまにはいるが、それでも「思ったことをそのままずばり」ではなく、一種の計算が加えられている場合が多い。それにその場合には、言う人と言われる人との間に長年の信頼関係がなければならない。

人は、表現にどのような落差を作るか。体裁を作るということがその第一の目的だ。

先日、美人であることでも有名な評論家のお宅を訪ねたら、ついさっきまで朝からひどい顔をしていて秘書に注意されたと言う。それであわててお風呂に入ってお化粧して着替えをして、私たちの来訪に備えてくださったそうで、「ありがとうございました」と私はお礼を言ったが、「私も今日は顔洗ってきたわ」とこれは完全に余計なことであった。私は普段家にいる時、うっかりすると朝起きたままの顔で書斎に入ってしまい、気がついてみると夕方まで顔さえも洗っていないことがよくある。

夫は亡くなった親友の遠藤周作氏が、「ボクは戦争が終わった時から顔を洗ったことがない」と言われた話が大好きで、それはつまり自分もそういうふうに生きたいということなのだ。でも遠藤氏にはその時、「だけどお前、髯《ひげ》は剃《そ》るだろ。その時、顔は洗うことになる」と「教えてやった」という。

美人の評論家は、決して美人だという評判を取りたいために、お風呂に入っておしゃれをしたのではないだろう。それは相手を不愉快にさせない、という目的のためだ。

人はどうしてもその存在自体が相手に違和感を抱かせることがある。それほど、私たちは他人というものが、ほんとうはわからないのである。だから「今日はあなたをお待ちしていたのです」というせめてもの具体的な姿勢を示すために、髪を梳《と》かしたり、服を着替えたりする。

まちがった日本語を平気で口にする大人たち

最近の女性たちは、おしゃれに関しては、歴史始まって以来、最高水準を保つようになった。私は長い間ネイルアートという言葉を知らなかったのだが、街でキラキラ輝く「付けネイル」（こういう言葉が正しいのかどうかわからない。私は付け睫毛《まつげ》と同じような使い方をしているだけだ）を見ると、初めアクセサリーかと思って、立ち止まって眺めたくらいである。私はアクセサリーというものが好きで、日本人としてはかなり大きなものも平気で身につけるのだが、ネイルアートだけはしたことがない。

理由は簡単で、私は料理をせずにはいられないので、爪も短く切って絶えず洗ったりこすったりする。長い爪では、私は心理的に料理ができない。料理は私が毎日できるほとんどたった一つの道楽で趣味なのである。一度も正確に習ったことはない。母の味の記憶を辿《たど》り、見よう見まねで、しかもできるだけ手抜きでやろうとしている。それでも、私は外で買ってきたおかずの味が嫌いなのだ。だから毎日必ず自分の家の台所で作る。そのためにネイルアートのおしゃれとは生涯無縁で暮らすことになる。

爪だけではない。年よりも若くきれいに見える女性が増えたのだが、しかし一言喋らせるか書かせるかすると、あまりにも外見と差のありすぎる人も多くなった。日本語が正確に使えない日本人がたくさんいるようになったのである。

女性だけではない。最近では、東大法学部卒でも、人前でまちがった日本語を使って平気な人がどこにでもいる。彼らは会議の席で自分の仕事を発表する時にも、「開催してございます」とか「分かれてございます」などというまちがった日本語を平気で口にするので、私は聞いているだけで疲れてしまうこともある。これは「開催しております」「分かれております」でなければいけない。

女性たちも、九十パーセントの人が自分の子供に「してあげる」と言う。これもまちがいである。他人の子供さんには「してあげる」のだが、自分の子供や犬には「してやっています」と言わねばならない。こんな言葉遣い一つ正しくできないで、お化粧だけ美しくても、会う人は時々興ざめになるだろう。

日本で大学を出たインテリと言われる人たちが、平気でこういう言葉を使うようになった理由は、国会の先生と呼ばれている人たちが、まず日本語をまちがって使うようになったからだと教えてくれた人がいた。

それに伴って絶えず視線が政府にだけ向いている中央の官僚やその近辺の空気で生きている人たちは、同じまちがいを受け継いだのだという。哀しい話だ。

先日、天皇陛下が心臓の手術をお受けになった時も、マスコミはまた敬語のまちがいを放置した。「天皇陛下にはゆっくり静養いただきたいと願う」という書き方が紙面に載ったのである。

昔は若い記者が記事を書き、デスクと呼ばれる人がその文章を点検し、校閲部がさらに手を入れているはずなのに、この手のまちがいがまかり通るというのは、この三者がまた揃って正しい日本語を使えなくなっているからなのだろう。これは「ご静養いただきたい」か「静養していただきたい」か「ご静養を願いたい」でなければならない。

英語には、尊敬語も謙譲語も日本語のような形ではない。だから楽でいいなあ、と思う時があるが、日本人は昔から、別に高学歴でなくとも耳学問で、誰もが実にデリケートな尊敬語や謙譲語を使いこなして生きてきたものであった。もっとも最近では歯の浮くような過度の敬語が氾濫《はんらん》している。閣僚が「なになさせていただく」という言い方を乱発するのは、多くの場合嫌らしい。むしろ自信と責任の欠如を感じさせる。

「患者さま」などという医院や医者にはかかりたくない、と言う人も私の周囲には多い。丁寧に言っておけば、人気が出るだろう、失敗した時にも許してもらい易いだろう、という計算があるのではないか、と私のようなひがみ根性の者は邪推《じやすい》する。

昔、私は商船に関する基本的な知識を教わったのだが、その時、この世界にも繊細なおもしろい表現があることを知った。普通、商船の船長のことを、民間では英語で「キャプテン」と言う。もちろん日本語で船長さんと言っていけないことはないのだが、船の世界の人たちは、もっと微妙な使い方をする。

「あなたが◯◯丸の船長さんでいらっしゃいますか？」

と言う代わりに、私たちは尊敬をこめる場合には、

「あなたが◯◯丸のキャプテンでいらっしゃいますか？」

と聞くのである。すると相手は、

「はい、私が◯◯丸の船長です」

と答える。この場合は、船長という単語を日本語にすることが、習慣的な謙譲語となっている。

一等航海士は普通「チーフ・オフィサー」だが、私たちが相手に、

「あなたが◯◯丸のチーフ・オフィサーでいらっしゃいますね」

と確かめるとする。すると相手は、

「はい、私が◯◯丸のチーフ・メートです」

と答えるのである。メートというのは英語でオフィサーと同じ航海士ということだが、わざとオフィサーではなくメートを使うことで、慣用的な陰影をつけて謙譲語にしたの

だろうか。英語で育っていない私は、外国語になるといつも細かいニュアンスを理解するのにもどかしさを感じるのだが、いずれにせよ言葉というものはそれほどに多彩な感情をこめて使わなければならないものなのである。それが成熟というものだ。

しかし多くの現代人は、加齢と共に皺《しわ》になることは恐れても、言葉を駆使できない人になることをあまり恐れない。

心は開くが、けじめは失わない喋り方

昔、私は故吉田茂総理のお嬢さんで、麻生《あそう》太郎元総理のお母さまに当たる麻生和子さんと、何度か仕事の上でお目にかかったことがあった。いわゆる社交的な遊びではない。約束の時間に会合の場所に行くと、一、二分の差で全員が集まった。お互いに大切な相手の時間を無駄にしないという礼儀からである。しかし始まると、相談すべき事柄のやり取りは闊達《かったつ》で、和子さんは時々「べらんめえ調」にさえなられた。「そう言ってやりゃあいいんだ、でしょう」などと巻き舌で口まねをしたりされた。話は緩急自在。少しもお上品ぶってはいないどころか、下町風の気っぷさえ感じられるのだが、始めと終わ

りはきちんとした挨拶《あいさつ》で締めくくる。「今日は、ほんとうに恐れ入りました。それでは、ごきげんよう」とおっしゃる。集まりの時間は予定が一時間ならきっかり一時間で、女同士がだらだら喋って、「お昼にデパートでお蕎麦《そば》でも食べて帰らない？」式に延びることは決してなかった。誰もが、次の約束を抱えているからである。

時と場合に応じて、どんな喋り方もできる。しかしけじめは失わない。それが私の若い時からの理想だった。

今の時代に品などという言葉を持ち出すと笑われるだろうが、私はやはり或る人が品がいいと感じる時には、まちがいなくその人が成熟した人格であることも確認している。品はまず流行を追わない。写真を撮られる時に無意識にピースサインを出したり、成人式に皆が羽織る制服のような白いショールなど身につけない。あれほど無駄で個性のない衣服はない。それくらいなら、お母さんか叔母さんのショールを借りて身につけた方がずっと個性的でいい。有名人に会いたがったり、サインをもらいたがったりすることもない。そんなものは、自分の教養とは全く無関係だからだ。

品は、群れようとする心境を自分に許さない。自分が尊敬する人、会って楽しい人を自分で選んで付き合うのが原則だが、それはお互いの人生で独自の好みを持つ人々と理解し合った上で付き合うのだ。単に知り合いだというのは格好《かっこう》がいいとか、その人といっしょだと得なことがあるとかいうことで付き合うものではない。

その意味で、最近流行《はや》りのフェイスブックなどというものを（私はまだ利用したことがないので詳しいことはわからないのだが）信じる気にならない。

品を保つということは、一人で人生を戦うことなのだろう。それは別にお高く止まる態度を取るということではない。自分を失わずに、誰とでも穏やかに心を開いて会話ができ、相手と同感するところと、拒否すべき点とを明確に見極め、その中にあって決して流されないことである。この姿勢を保つには、その人自身が、川の流れの中に立つ杭《くい》のようでなければならない。この比喩は決してすてきな光景ではないのだが、私は川の中の杭という存在に深い尊敬を持っているのである。

世の中の災難、不運、病気、経済的変化、戦争、内乱、すべてがボロ切れかゴミのようになってこの杭にひっかかるのだが、それでも杭はそれらを引き受け、朽ちていなければ倒れることなく、端然《たんぜん》と川の中に立ち続ける。これがほんとうの自由というものの姿なのだと思う。この自立の精神がない人は、つまり自由人ではない。

子供はまだ修業中だから、子供には自由はない。子供にも人権があるから自由だ、なぞと、言葉の意味も深く考えずに平気で口にする人もいるが、経済的にも、肉体的にも自立していない人間が、自由に生きられるわけがない。ただ子供は、あふれるような親の愛情を浴びて育つのが原則だ。それがなければ、子供は、食事を与えられなくても、警察に訴えることもできず、命の危険にさえ陥る。力もなく、自由でもないからこそ、親は理屈など考えもせず、とにかく子供を守るのだ。親鳥の羽の下でなら、零下にまで下がる気温の中でも、ペンギンの雛《ひな》は親の足の間でぬくぬくと眠るのである。

品というものは、多分に勉強によって身につく。本を読み、謙虚に他人の言動から学び、感謝を忘れず、利己的にならないことだ。受けるだけでなく、与えることは光栄だと考えていると、それだけでその人には気品が感じられるようになるものである。

健康を志向し、美容に心がける。たいていの人が、その二点については比較的熱心にやっている。しかし教養をつけ、心を鍛える、という内面の管理についてはあまり熱心ではない。どうしてなのだろう、と私は時々不思議に思っている。

第八話「問題だらけなのが人生」とわきまえる

人は年相応に変化する方が美しい

中年以後の、人生の大きなテーマの一つは、大小さまざまな体の不調と闘うことだろう。

私の素人の実感によると、七十五歳を過ぎるとはっきりと体に問題が出て来る人が多くなる。その変化が一番よくわかるのは、クラス会である。ペースメーカーを入れるようになった人、腎臓透析をしなければならなくなった人、耳が遠くなった人、腰の痛い人、私のように骨折をした人、などが急に増えるのである。

最近、制度が変わるとか言われているけれど、厚生労働省が七十五歳以上を「後期高齢者」として区分したのは、実に適切な処置だったと言える。

それなのに、「後期高齢者」という名称が、蔑称《べっしょう》のようで気に食わない人がいるという。いい年をして現実を直視できないのは困ったもので、むしろそういう姿勢自体が老化の証拠と言ってもいいくらいだ。我が家の夫は現在八十七歳だが「後期高齢者」と一くくりで言うのでは足りない、と言っている。「晩期高齢者」「終期高齢者」「末期高齢者」と、もっと細かく区分して対策を立てた方がいいと笑っている。

だから高齢になっていささかの体の不都合を訴えるのは、少しも異常なことではない。冷蔵庫だって、エアコンだって、自動車だって、七十年、八十年も使えば、必ず少しは古びている。世間で年代ものの古い車を使いこなしている人は、そこに至るまでにメンテナンスがよかったので、その苦労がちゃんと報われているのである。人間も、でたらめな食事をし続けたり、グルメの癖をやめなかったり、大酒を飲んだり、タバコを吸い続けたりすれば、機械が早く古びて当然だ。

若い頃からダイエットばかり考えていれば、早々と骨粗鬆症《こつそしょうしょう》になって、背が縮んだり歯が抜けたりする。あるいは異常に早く髪が薄くなって、ヘアピースを着けなければならなくなる。ウィッグと入れ歯が困るのは、実は手術を受ける時なのである。手術の前には、メガネもピアスも義歯もウィッグもすべて取るように命じられる。すると急に人相が変わって、誰だかわからない老婆の顔になるのも困るだろう。人は常に年相応に健全に、老化という変化を遂げ続けている方が、健康で美しく見えるはずである。

人は自分の病気を語るのが好きだ。病気は、誰にとっても「私小説」なのだ。「私小説」というものは、たいていの人に書ける。貧乏な家に育って苦労した話、新しい家を建てるまでの苦労話、男に裏切られたうらみつらみの話、詐欺に遭った悔しさが忘れられない話、山の登頂をなし遂げた話、孫が生まれた話。たいていの人が、他人を感動させる程度に書ける。しかし、それがアマチュアの限界だとも言える。人は誰でも一生に一つは大ドラマを書けるが、それを続けるという作業は少し別のものだ。

病気の話はしかも賛同者が多い。自分も思い当たるという人が必ず話の輪の中にいるのである。私なども、或るドクターが自分の病気の話をしているのを黙って聞いていた時、もしかしたら、自分もその病気かもしれない、と思い当たった一人である。線維筋《せんいきん》痛症《つうしょう》という最近流行りの病気だ。リウマチ反応もない。レントゲンに写る骨の異常もない。白血球の数値にも変化はない。血圧も内臓の機能もすべて正常だ。それでいて、体が痛い。私の場合の線維筋痛症の症状は、上腕部の痛みと微熱とだるさとして出ている。腕の痛いのを「四十肩」だと言ったら、八十歳にもなって年を半分に言うのは図々しいと笑われた。私に言わせれば、医師たちが怠けて、新しい病名を作らないから悪いのである。熱も上がっても三十七度六分くらいまでだから、どうということはない。私のことだから、食事も普通だし、料理も読書も執筆もできる。出かければ、一応見かけはしゃんとする。ただできたら怠けていたい。

この病気は治しようがないらしい。誰も、どこの病院に行けとも言わない。こういう薬を飲んだらいいとも言わない。旅行に行くなとも言われないから、私はごく最近、アフリカに行って来た。行ったら行ったで、大して人さまに助けていただかなくても、どうにか普通に旅程をこなす。それどころか、風邪を引いたりお腹を壊すということもなかった。もっともそうなる前に手際よく怠けたからなのだが、このコントロールができるのも年の功なのである。

昔私は一時期、体の不自由な人たちと、毎年外国旅行をしていた。車椅子の人や盲人のお世話をするには、たくさんのボランティアが要る。まあ、若い老年と、少し高齢の中年が、その主力だった。力持ちだの、明るい話題を供給し続ける人だの、聖歌をきれいな声で歌える人だの、人の才能はそれぞれにすばらしいが、私が一番感動したのは、旅をしていて目立たない人が実は一番体力がある、という事実を見たことだった。

グループの先頭に立ってはしゃぎながら歩く人には、時々危ない面がある。列から脱落しそうに遅れるので心配な人も体力がないのである。いつも何か働いてくれているのだが、どこにいるかわからないように振る舞える人ほど、気力も体力もあるのである。

そして私は年を取ったら、群れの中で目立たない人になりたい、とその時、決意していたのである。

「病気の話はやめにしよう」という提案

もっと若い時、私は初めて参加した女流文学者会という集まりで、大先輩の宇野千代さんにお会いした。女流作家という人たちは、それぞれに個性的で、他人におもねることもなく、自由なことを言う人たちだと思ったが、宇野さんについてはことに印象的なことがある。それは宇野さんが、こういう皆で集まる席で、病気の話をするのはやめにしましょう、と動議を出されたことだった。

私が三十歳前後だったとしても、その世代の主なメンバーは五十歳を超えていたわけだから、そろそろ体の故障を訴えてもいい年だったのかもしれない。

私は世間の中年以後の女性たちが、数人集まればすぐ病気の話をするのが好きではなかった。私の母を見ていてもそうだったが、病状があるなら、その「不都合」を解消するために、必死になるというのでもない。あるいは、年を取れば根本的には治らないのだから、諦めて日々を楽しく過ごすようにするというのでもない。

友達と集まればあそこが悪いここが痛い、どこの医者がいい、というような話を延々とし続けて、傷をなめ合っている。それで心理的に苦痛が解消されているのなら、それもいいのかもしれないが、私に言わせれば、個人にとって大切でも、他人にとっては全く興味のない話というものも世間にはあるのだ。

その筆頭が病気の話である。その他に、孫、ゴルフ、犬などのペットの話題もある。それに気がつかない女性（主に）の話題というものは、ほんとうは人困らせなのだ。

母の時代は今のように健康保険などというものもないし、週に何回か整形外科で「電気をかけてもらう」などという気楽な治療法もなかった。鍼灸《しんきゅう》、按摩《あんま》、温泉などもちろん必死で体を治すのに努力している人もいたが、私はその時から、自分の体の不調を訴えることを、会話の種にするのはやめようと決心したのである。

その代わり、私は中年以後、漢方の入門書を読んだ。夜、もう頭が疲れてあまりものの役に立たなくなっている時間に、切れ切れに読むのに、まことにいいものであった。漢方と同時に私は野菜や花の育て方の本も読み、こちらにも少しは詳しくなった。

もともと私は鍼灸マッサージなどに関して、少し特別の才能があると思う時があった。自分がさんざん鍼《はり》やマッサージの治療を受けている間に、そのこつを覚えてしまったのである。人の体をもんであげていると、手指が自然と、その悪いツボに行くのである。

漢方も、有名な医師にかかったこともあったが、その中で私の胸に響いた言葉は「漢方薬というものは、明日起きたらあの薬を再び飲みたいと思うものが体に合っている」という表現だった。いいか悪いか、全く感じない薬もある。もう二度と飲みたくないと拒否的な感覚を残す薬もある。それらは、私の体質に合っていないのだからやめる方がいい。これはなかなか奥の深い人間的な療法の表現で、素人なりに体の伝える言葉を聞き取る技術だと思った。

しかしつまりこれらは素人の独学だから、過信してはならないのだが、私一人だけの健康維持にはかなり役に立った。五十歳を少し過ぎた時、私は旅先の外国で膝が痛くなった。当時私は途上国への旅を始めていたから、普通の観光旅行とちがって、持っている食料などの装備品を毎日少しずつ整理をしなくてはならなかった。つまりホテルの床に膝をついて、在庫を調べたり詰め替えたりする作業である。そういう姿勢が膝が痛くて取れなくなるのは、実に不自由なことであった。

帰国して整形外科に行くと、膝に水が溜まっていると言われ「お年ですからね」と言われた。つまりもう治らないということである。家に帰ると、私はその日から漢方の桂《けい》枝茯苓丸《しぶくりようがん》という血流を促す穏やかな薬を飲み始めた。自分一人で、その量も微妙に調節するのである。

一カ月半ほど経った頃気がついてみると、私の膝の腫れはすっかり引いて痛みを忘れていた。それ以来、私は同じ症状に悩まされていない。この薬は薬局でいくらでも売薬として買えるのだから、便利なものだった。私はあの臭いにおいのする漢方薬を毎日自宅で土瓶で煮出すなどという努力をする気にはとうていならなかったのである。

現在、「できたら怠けていたい」という主訴を、私は大切にすることにした。それに逆らうとしたら、毎日人間として暮らすのに必要な部分だけだった。お風呂に入り、歯を磨き、洗濯をこまめに出し、花瓶の水を取り替える。簡単な食事の支度をし、ゴミを捨て、数日に一度、秘書に自動車を出してもらって、かなりの量の食料の買い出しに行く。我が家は昼は秘書などを含めて、六人で食べる日が多いのだから、まさに「タニタの社員食堂」ならぬ「ソノの社員食堂」だ。そうした生活のためにごく基本的なことだけは、放棄してはいけない。

しかしほかの部分で「できたら怠けていたい」ともし私が感じ続けるのなら、私はその声に従うのもいいのである。

他人より劣ると自覚できれば謙虚になれる

人はいつでも、多分人生の最後まで、大まかな流れには流されつつ、ほんの小さな部分では、少し意図的に目的を持って生きる方が楽である。目的がない人生ほど辛いものはないだろう、と思うからだ。

だから私は老人ホームに入って安心するという安楽を、できるだけ避けようとしている。老人ホームに入っても社会生活をし続けている人もたまにはいるのだが、老人ホームに入る目的自体が「安心して暮らせる」ということにある人が多いのだから危険なのである。

人生では、老人にとっても若者にとっても、先進国に住む人にとっても途上国の貧しい暮らしをする人でも、安心して暮らせるという情況は決してないのだ。そのような公然たる嘘か詐欺を選挙の餌にした政治屋たちももともと嘘つきなのだが、それを信じた愚かな年寄りたちも、どちらも悪いというほかはない。

人生には安心して暮らせることなどないことは……何度も書いているのだが……東日本大震災とそれに続く原発事故の結果が如実に示した。いい年をして、そんな甘い夢を見ることはやめた方がいいのだ。

人生は、常に問題が続いていて当たり前だし、不足に思うことがあって当然なのだ。

むしろそれが人生の重さの実感だとして、深く感謝すべきなのである。もっとも現在の日本のありがたいところは、飢えて乞食《こじき》をするようになる前に、社会制度がどこかで拾ってくれて生きられるようにはしてくれるのである。

何をその時々の目的にするかは、人それぞれで定型はない。しかしその目的の中には、たとえば私の現状のようにちょっとした痛みに耐え続けるということさえ含まれている、と私は感じている。

かつて中年の時、視力の不足と、それに伴う頭痛を解決しようとした悪あがきが、私に漢方と鍼灸の独学のきっかけを与えてくれた。私は実は鍼も一人で打てる。それと同じようにどんな願わしくない出来事もそれを解決することが、私の個人生活では一つの目的となり得た。治す方法はないか。治らないままでも人並みに暮らすにはどうしたらいいか。怠けの口実に病気もまた使えるのではないか（これなどずいぶん楽しい悪巧《わるだく》みだ）。健康にせよ何にせよ、人に劣る面があるという自覚が謙虚な姿勢を作ってくれるのではないか。考えれば利点というか、使い道はいくらでもあるだろう。

私は長年聖書を、ずいぶん自分勝手に読んで来た。ある時は、それを現在の社会情勢の中でのセム文化の理解、アラブ人たちの社会生活を類推するための教科書として使ってきた。生身のイエスには会っていない上、むしろキリスト教徒たちを圧迫するのに働いて来た人たちの中に、パウロという人はいたのである。しかしパウロは、キリスト教徒弾圧をやめて信仰に入った時から、初代教会を築くのに大きな力を発揮して来た。彼は聖書の中で十三の書簡を残しているが、そのどれもが名文である。しかしそのパウロは、生涯視力障害その他の病気に苦しんで来た人物だろうと推測されている。

「それで、そのために思い上がることのないようにと、わたしの身に一つのとげが与えられました。それは、思い上がらないように、わたしを痛めつけるために、サタンから送られた使いです。この使いについて、離れ去らせてくださるように、わたしは三度主に願いました。すると主は、『わたしの恵みはあなたに十分である。力は弱さの中でこそ十分に発揮されるのだ』と言われました。」（『コリントの信徒への手紙二』12・7〜9）

当時のユダヤ人は、病気はサタンによってもたらされる、と考えていたから、パウロは自分の苦しみをサタンからの「使い（アンゲロス）」という擬人化した言い方をしている。天使＝エンジェルという言葉もここから来たのだろうが、元の意味には、よい霊も悪い霊も共に含まれている。

人生の後半に、多分治癒はむずかしいと思われる病気に直面したら、その病気をどう受け止めるかを、最後のテーマ、目的にしたらいいのだ。

もちろん、これはきれいごとで済む操作ではない。途中で愚痴も言うだろうし、早く死んでしまいたいという思いになる可能性もあるだろう。しかし苦痛や悲しみをどう受け止めるかということは、一つの立派な芸術だ。そしてそれを如何《いか》に達成するかは、死ぬまでなくならない、偉大な目的になるのである。

第九話「自分さえよければいい」という思いが未熟な大人を作る

ほんとうに力のある人は威張らない

今時、「成熟」という言葉を聞いて、勲章をつけた偉い軍人とか、鼻髭《はなひげ》を蓄えた大物政治家などを思い浮かべる人はめったにいないだろうが、いつの時代にも何だか理由なく威張る人というのは、ごく身近にいたのである。

そしてそういう人に対して、私のように生理的に反発する性格の人と、むしろ何となくそういう人物に対する憧れを持つ人がいたのは事実である。

おかしいのは、夫に社会的な地位ができると、その奥さんまで威張るケースというものが未だにあるということだ。

いつか或る女性がひさしぶりで、クラス会に出た話をしてくれた。同級生の中に、ご主人が大臣になった人がいた。会が終わる頃、外は激しい雨降りになった。すると大臣夫人は、外で待っていた夫の自動車にいた大臣警護のためのSPを叱りつけた。「気を利かして傘を持って来なさいよ」というわけだ。それで皆はしらけてしまった。大臣夫人になったからといって、そんなに威張らなくてもいいだろう、と思ったのだろう。

この一件はいささか滑稽な面もあるが、いろいろなことを見せつける。要人《ようじん》警護というものは、その夫人の夫の、大臣というポストに関して付くだけで、その一家の使用人ではない。大臣をやめたら、翌日からその人には警備の人などつかなくなる。

いわゆる階級というものがある職場には、必ず支配層というものが発生し、その段階で、一段でも上に立った人は、下の階級の人に「仕えられる者」になる。それがまた何とも言えないほど、気分のいいものらしい。

小説家というものは、その点、変化のない職業である。小説家は死ぬまで小説家であって、二十年書き続けたら中説家、五十年書き続けたら大説家、という具合に出世することもない。何十年経っても、別に肩書に変化はないのである。

もちろん年を取ったというだけで、お茶が先に出されたり、若い編集者が「おっかない」と感じたりすることはあるだろう。しかし制度上の肩書の変化は全くないし、オリンピックと違って、〇・〇一の差で自分が上という証拠もないから、威張る理由もないのである。もちろん威張りたいと思ったら、理由なく威張ればいいので、そういうやり方をした作家は、いつでもいるだろう。

私は二十三歳の時から、幸運にも原稿料をもらうプロの作家になった。私は十二歳で作家になろうと思い、十八歳くらいの時から同人雑誌に加わってかなり長い小説を書いて来たから、今年でもう六十年以上は、物を書くという作業を続けている。

子供の時から、竹籠《たけかご》を編むお祖父さんの工房に始終遊びに行っていて、真似事にせよ編み方に習熟していたという子供が、長じて竹編みの作家になって、何年この仕事をしているかと聞かれて答えに迷うように、私も答えるのがむずかしい。六年生の時に書いたものも、自分の身辺のことを記したいわゆる作文ではなく、明らかに創作だったのだが、もちろんヘタクソなものだったことはまちがいない。

つまり私をも含めてまっとうな職人の要素を持つ間は、いつまで経っても習うことがあるので、これを続ければ、一段階、出世したと安心するわけにもいかない。「最上階」に達したという安心もできない「一生職人」「一生学生」というのが実感だ。

最近時々、私も、これだけは私の方が上だと思うことがあるようになった。それは年齢に関してである。かなり有名な人でも、年齢を偽っている人がいるというのが、私には信じられない。

別に大して悪いことでもないが、何でそんなに無駄なことをするのだろう、と思うと、その人の言動が嘘くさく思えて、友達になるのに差し障る。年は年で、それなりに意味があって、私の住む土地では、区から「敬老の日」にはジャムの壜《びん》が贈られてくる。

年齢に関係なく、技術上で自分なりの矜持を持つ瞬間が微かながらあるとするなら、それは自分流という部分を確立した場合である。私にも作品を書く上で自分流がある。自分に課している原則も、人にはあまり言わないが、ある場合もある。

しかしそれは信念というほどのものではない。長い間それでやって来たので、その方が何となく、素直で自然に思えるような気がするだけの話だ。

一例を挙げると、私は一行ごとに改行する文体は好きではない。一行で改行する必要がある場合もあるだろうが、人間の思考というものはもう少し長く続けなければ完結しない場合も多いのである。一行ごとに改行する人は、息の長い文章が書けない人か、改行で原稿料を稼ごうとする人かどちらかだ、と悪意に解するからである。

もっともこの正反対の人もいる。ジェイムズ・ジョイスという人がその典型だが、作品の初めからずっと改行というものをほとんど行わない。文章が一つの切れ目もなく、何ページにもわたって延々と続くのだ。ページは真っ黒になり、途中で読書をやめれば、どこまで読んだのか探し当てるのが大変だ。そうした粘着性の文章が、作家の思考の息づかいなのだと言われれば、それも仕方がない。

しかしそれは、あまりにも作家の自分勝手な表現だ、と私は思う。真っ黒に見えるまでにびっしりと活字の詰まった文章なんて、読者の生理がそれについていかないだろう、と思うのが常識だと私は思ってしまう。

常識というものを侮蔑《ぶべつ》する芸術家は多い。それが何となく、個性的な作家の条件と思うのだろうが、私は「偉大な常識」というものを評価している。常に常識に盲目的に従うのではないが、いつも心で普遍的な人間性を表す基準的な何かがあると考えてもいいのである。

もっとも改行で原稿料を稼ぎたいという欲望は常に作家にあるので、いろいろな笑い話ができる。昔は軍隊はもちろん学校でも、軍隊式の訓練というものが幅を利かせていた。人数を数える時、一列に並ばせて、「番号！」と命じるのである。すると生徒が、

「一！」

「二！」

「三！」

という具合に番号を唱える。そういう場面を書く時に、こういう書き方をすれば、私はたちどころにほとんど内容のない三行で、原稿料を簡単にせしめることができるというわけだ。

一つの文章ごとに、改行するというのは、原稿料稼ぎという浅ましさを感じさせる。しかし改行しなければ、意識の流れを穏やかに断てない場合もある。

常識というものは、常に相手の存在を意識するところにある。相手はどうでもいい、と思うから非常識が発生する。もちろん相手はどうでもいい、相手の幸不幸なんて考え

たこともない人というものは、いつの時代にも世間にけっこういる。自分の芸術は偉大なもの、自分の経営者としての腕前は絶対のもの、家庭における自分は一番偉くて家族は皆自分に従うもの、と思っている人は、一時代前だけでなく、今でもよくいる。そう思えば、他者の存在や考えなど全く意に介さなくなる。自分の意思にある中の世界だけが絶対であり、他者に迎合《げいごう》する必要はないと思える。

このように「他者、あるいは外界の感覚の不在」が、未熟な大人を作るのである。

内面は言葉遣いに表れる

私は二十三歳の時から、小説の世界で仕事をして来たので、いわゆる威張る人にたくさん会った。政治家にも役人にも、会社や団体などの組織で働く人にも、どこにもいたのである。そして私は威張る人と付き合うのには、それほど困らなかった。

一つには、私が勤め人でなかったので、自分の上司として、そういう威張る人と一生付き合わなくて済んだからである。むしろ私は相手が威張る人だと、すっかり安心したものであった。相手に威張らせて、私は下手に出ていれば、摩擦が起こらないからで、人間関係はきわめて簡単になるからであった。

威張る人は言葉遣いでわかる。初対面の私に「ああ、そう」「ご苦労さんだね」などと言う。初対面の人に対しては、ごく普通の日本語を使っておけばいいのである。つまり「ああそうですか」「ご苦労さんでしたね」と言えばいい。

私は昔風の母に、年齢で年上の人には「ありがとうございました」と言うようにしつけられたが、最近では「ご苦労さま」とか「お疲れさんでした」とかいうテレビ局用語が一般的になって来た。そういう細かいことは別として、「です」「でした」の代わりに「だね」「だったね」しか使えない人というのが世間にいて、田舎暮らしの高齢者ならいざしらず、私はどこか無知で威張っているような感じを受ける。この手の粗野な人は霞が関のエリートにもいて、少し地位ができるとたんに言葉が尊大になり、言葉遣いに関して感覚が粗いことが丸見えになる。

威張る人の中には、素早く相手を見て、この人の前では威張ってはいけない、ということを見極め、きわめて気さくに謙虚に振る舞いながら、そういう相手のいないところでは、人が変わったように威張る人というのがいるのだという。

私がよく知っている人で、私自身はずっと気さくで穏やかな人だという印象を持ち続けている男性がいた。私の知人の女性は、一度大勢の中の一人としてその人に紹介されたが、「もちろん大勢の人の一人でしたから、私の名前なんかお覚えにならないのは、当然ですし」と彼女は言っていた。名前を覚える覚えないではない。その「大物」と思われる人物は、部下たちだけのところでは、人が変わったように尊大に振る舞うというところを彼女に見られたらしい。そんな二面性があると、私は想像だにしなかったので、実はびっくりしたのである。

私は昔から、カトリックの信仰を基準にした教育を受けた。神の前には、人間世界の地位や名誉や財産など、全く無意味なものだ、という意識を徹底して育てる教育である。私たちは、やや昔風の言い方だが、「王様の前でも乞食の前でも、等しく同じ態度で接する」ことができるようにしつけられたのであった。

つまり偉い人だからといって、その前に出ると萎縮《いしゅく》して自由に喋れなくなるということもなく、乞食の前に立ったからといって急に相手を見下すような無礼な態度も取らず、同じように礼儀正しく、人間として誠実に、温かい心で接することができるように、ということであった。

私の母は、田舎出の大して教育もない女性だったが、こういう点に関する美意識は強烈であった。「どなたの前でも、誠実に礼儀正しく、怯《ひる》まずにお話しできるように」と母は言っていた。相手の年や地位を聞くと、急に言葉遣いを変えるような人を、母はもっとも嫌っていた。

謙虚な人に貴重な情報を教えたくなるのが人間

後年、こんな思い出がある。

私は四十代の頃、民放でカトリックアワーのキャスターを十年近く務めていた。ほんとうはもっと有名な人に司会者を頼みたかったのだろうが、放送が急に始まったのと、有名なタレントを頼むと相応のお金がかかる。カトリック教会にはお金がなく、曽野綾子なら出演料も安く済み、しかも暇そうだということになったのである。

そこで私は二人のアメリカ人の神父と親しく付き合うことになった。メリノール宣教会という修道会の神父たちで、そのテレビ放送の番組制作の責任者たちであった。

ある時番組は、地方で夫婦揃って鍼師として働いていた盲人夫妻を訪ねることになった。私が出演者からいろいろな話を聞く役である。変わっていることと言ったら、夫妻が飼っている数羽の小鳥が勝手に部屋の中を飛び交っていて、その抜け毛や糞《ふん》が散らかっていることだったが、二人は屈託《くったく》ない明るい人たちだった。

テレビ番組はその鍼師夫妻が、連れ立って仕事に行く場面を撮影しようとしていた。こういう撮影は決して一回では済まないものなのである。「すみませんが、もう一度、玄関で靴をはいて出かけるところをお願いします」とカメラは執拗《しつよう》である。

自分が撮られているわけでもないのに、私はこういう繰り返しがカメラの身勝手に思えて、次第に不機嫌な顔をし始めたのである。演技を約束している俳優さんなら、それが仕事である。しかし私たちは、素人なのだ。

しかし鍼師夫妻は少しも嫌がらず、何度でもリハーサルに応じていた。そしてその傍らで撮影に立ち会っていた若い方のアメリカ人の神父が私の心に深い感動を残した。彼は何度でも、その盲人鍼師夫妻のために、玄関の靴を揃えた。しかも明るい表情で、であった。

それは、盲人夫妻や番組の制作者や、それらの人々の中にいると言われる神に「お仕えしている」という感じだった。それほど自然な振る舞いだった。脱いだ履物のことを、古い日本語では「下足《げそく》」と言う。足といい、それが脱ぎ捨てて下にある状態といい、下足は決して「上足」という感じではない。土や足の垢《あか》に汚れ、常識的にあまりきれいなものとは思われない。それをその神父は、盲人がリハーサルで苦労しないように、何度でも揃え直したのである。

威張る人というのは、一見、威張る理由を持っているように見える。地位が上だとか、年を取っているとか、その道の専門家だとか、それなりに理由はあるのだろう。

しかしほんとうに力のある人は決して威張らない。地位は現世で仮のものだからである。誰がほんとうに偉い人か、その優劣の差があるのかどうかは、神仏が見極められることだ。年寄りだって弱い年寄りほど椅子に座って偉そうにしている。

私はよく夫と喧嘩するが、夫は八十七歳でもまだ、町で乳母車を押しているお母さんが数段の階段の所で困っていたりすると、気軽に乳母車を持って上がってあげる。私はそういう夫の姿を見るのは嬉しい。この人は老人でも心身共に健康なんだな、と思えるからである。

つまり総じて威張る人というのは、弱い人なのだ。

もちろん人間は誰もがいつも強くなければならないということはない。古来、弱そうだから男にもてた女性はいたのだ。しかし本来強くあるべき男が、地位を利用して威張るのは最低の表現で弱さをさらけ出すことだし、「うちの夫は銀行の同期で出世頭なの」とか、「私はクラス会で一番若いって言われたわ」などと言う女性には、私はどう返事をしていいかわからなくなる。

私は母から、最低限、威張らないことで、みっともない女性にならずにいる方法を習った。威張るという行為は、外界が語りかけて来るさまざまな本音をシャットアウトする行為である。

しかし謙虚に、一人の人として誰とでも付き合うと、誰もが私にとって貴重な知識を教えてくれる。それが私を成熟した大人に導いてくれる。

第十話 辛くて頑張れない時は誰にでもある

どんな仕事にも不安や恐怖はある

今年の夏は妙に疲れる夏だった。そんなことを言うと夫はばかにしたように、「つまり年なんだ」と言って笑う。よくわかっておりますとも、と言いたいところだ。もちろん私も多くの場合、皆と口裏を合わせて、「今年の夏の暑さはほんとうにひどかったですね」などと言っているが、実は暑さが身に応えたことなど一度もなかったのである。

ご先祖さまが南方から来たらしく、私は昔から夏に強く、冬に弱い。だから私は南方の気候に憧れた。シンガポールに始終十日から二週間くらい滞在するという暮らしを約二十年間続けたが、その間町で日本人と思われたことはめったになかった。シンガポールの住人の約八十パーセントは中国系だが、誰もが私を中国系のシンガポール人だと思い、ためらいもなく中国語で喋り続けた。

私にすれば、年のほかに疲れる理由がはっきりと思い当たるのである。それはオリンピックだった。私はオリンピックの放送が、毎日何時頃に行われていたのかも知らない。明け方まで見ていたという人の噂《うわさ》は聞いたことがあるし、明け方目覚めてテレビの衛星放送をつけると、オリンピックをやっていたので、そのまま見続けていたことはある。しかしテレビでオリンピックを見すぎて疲れたのではない。

実は私はほとんどスポーツに興味がない。どんなに遅くとも自ら走ったり歩いたりする人には尊敬を感じていたし、体は必ず使わなければいけない、という高齢者独特の自己防御の本能のような感覚は充分に備えている。

私自身マッサージ師から治療を受けながら、「しかしこの体はよく働いて来た体だねえ」などと言われると、骨の髄《ずい》まで嬉しくなっている。

ただ、見るスポーツは、するスポーツとは関係ないと思っている。見るスポーツは辛くない。暑くも寒くもなく、体も痛くなく、関係者との人間関係に悩むこともない。テレビの番組でエベレストに登った気分になるのと同じくらい卑怯な気がする。

ことに家の中でこたつやソファに寝そべりながらスポーツを見て、かつその合間にビールを飲みながらポテトチップスを摘《つま》むようなお父さんというものは、全くスポーツの精神とは無縁な人だけれど微笑ましくは思っている。人間、別に現世でいいことだけをする動物でもないからだ。人間、体に悪いと思われることも、無駄と思われることも、卑怯だと感じられることも、知りつつやる場合があるだろう。

よその国のスポーツ界の内情はどんなものだか私は知らないのだが、日本のオリンピックでは、どうもそれに付随《ふずい》して出て来る「精神講話《こうわ》」めいた話が多くて疲れたのである。どんな仕事にも、初めには不安や恐怖があり、挫折《ざせつ》があり、もう投げ出したいと思う経過があるはずだ。親が死んだり自分が病気になったり、家族が大きな経済的困難に直面してそれを乗り越えなければならなかった歴史もあるだろう。

それはむしろ当たり前の経過なのだ。しかしオリンピックでは、この選手がこうなるまでにはこんな辛さに耐え、周囲の人の温かい励ましがあり、立派な親たちがいたおかげでこうなりましたという話が多くて、私は疲れたのである。

勉強が嫌いな子だったので、放り出しておいたらオリンピックに出るようになっていました、という裏話は、現実に全くないのかあまり新聞や雑誌の紙面に出て来ない。私の周囲にはスポーツに才能を示した青年がいないので、個人的な体験談を聞く機会もなかった。

私は反対する父には隠れて、母にはまあ励まされ、学校では小説を書くというような自堕落なことをしてはいけないという空気もある中で、作家になった。

父が反対したのも特にいじわるだったわけではない。当時、小説家になるということは、堅気《かたぎ》の暮らしから離れ、身を持ち崩すことと同じだったのだから、父は常識的な判断から娘が文学になどかかわらない方がいいと思ったのだろう。母には文学少女のなれの果てのような面があったが、特に励ましてくれたなどということもない。

私は自分で同人雑誌に参加して、自分の小説の印刷代をアルバイトで稼ぎ、数年後に、どうも（才能の）芽も出そうにないから文学をやめると或る日決心をした。

ところが、同じ日に私の作品が批評されている或る雑誌を本屋で見て、私は数時間前に「文学をやめる」という方向で立てた誓いを取り消したのである。すべての決定は、自分一人の決心でしたことだった。

小説を書き出して六十年も経ってから、私はこの秋、自分の履歴を書いた本を出してもらうことになったが、それとても自分で出したくて出すのでもない。或る新聞社が、企画の一つとして取り上げた連載を基に、或る出版社が本として出すと言ってくださったので、そういうことになったのである。

文学の世界にも苦労話はある。昔は、作家になるには、女と病気と金の苦労をした人でなければだめだ、というジンクスみたいなものまであった。

私は男で苦労するような青春がなく、一応健康で、お金も敗戦後の日本人の暮らしからみて典型的な程度の貧乏しか体験したことがなかった。だからすべての点において、作家になる資格なし、ということになる。

あらゆる職業をやった、という作家は多い。私の周囲にも、今は「その道で」ひとかどの人になった人でも、青春時代には苦労して下積みの生活をしました、と言う人はたくさんいる。つまりそれが、人生では当たり前なのだ。だからこれはマスコミの罪なのだが、刻苦《こっく》精励《せいれい》して金メダルに辿り着いた、という書き方は、多分才能のない記者が書いた筋書きなのではないか、と思う。

東京オリンピック（一九六四年）の頃から、スポーツ界には「為せば成る」という言葉の信仰者が多かった。一般の人たちだけでなく、文学の世界にもその信仰がファッションのように浸透し、その言葉を礼賛《らいさん》する人も多かった。

当時、スポーツ記者の数も一時的に不足したので、東京オリンピックには私のような若手の、バレーボールのルールも知らないような書き手まで、すぐその場で素早く、所定の字数で記事を書けるからという理由で駆り出された。私の学校時代のバレーボールは九人制だったのに、オリンピックの競技場まで行って記者席に着いてみると、選手の数は六人制になっていたので私は驚いたのである。私はていねいに隣席の他社の記者に自分の無知を話すと、その人は親切に要領よく、試合の始まるまでに、私にルールを教えてくれた。私は親切をいたるところで体験して生きて来たものだ。

オリンピック終了後に、作家の書いたオリンピック文集のようなものも出版されたが、「為せば成る」という精神について行けず、その点を疑問視した私の文章だけ、外されていたのがそのことを物語っている。

誰だって努力は報いられたい。しかし、どんなに努力しても、そうはならないことがある。それに努力すれば必ずよくなるのだったら、誰でもそうするだろう。それはかなり自然科学的な発想であり、結末である。

しかし作家は、文学をやるのだ。「一足す一が二」ではなく、「三」か、時には「マイナス一」になる不思議さや不合理や楽しさを書くのが仕事だ。

報われない努力もある

多分私は、算数ができないからこんなことを言うのだろう。しかしこれは後年わかったのだが、私がキリスト教の信仰から得たものの考え方だった。

イエスはユダヤ教徒として生まれ死んで新約の時代を作った。しかしそれより以前の旧約時代の人々は、人間に「老、病、死」があるのは人間の罪の結果だと信じていた。つまり悪いことをしたから、人はその罰として老病死を与えられるという考え方である。

しかしイエスはそれに真っ向から反対した。ほとんど罪もなく暮らした人が人生でむごい仕打ちを受け続け、人々にも理解されないままに、惨《みじ》めな死に方をすることもある。

キリスト教は、決して現世ですべての人間の行為が、辻褄《つじつま》が合うような報われ方をするとは考えない。現世の利益は考えないのである。全く報われなくても、信仰と自分の美学のために、神への忠誠を貫いて生きる人だけがほんものなのだ、という発想だ。

四十歳になる少し前、私は戦後の日本の再建のために働き通したあげく、家庭的な不幸を一身に背負って死んだ一人の土木技師を主人公にした作品を書いた。彼はまず会津の山奥で巨大なダムの建設に加わり、未だかつて日本の道の思想にはなかった初めての長距離ハイウェイ・名神高速道路の現場に立ち、最後にはいつかアジア・ハイウェイの一部となるはずの北タイの道路の現場に赴任した。そしてそこで違った文化の対立の中で「泥沼のような現場」を体験するのである。彼らのような無数の「土木屋」たちが黙々と働いて、それこそ戦争で何もかも失って貧困の極に陥っていた日本のすみずみまでに、上質で安定した電力を送り届ける基礎を築いてくれたからこそ、世界に冠たる日本の工業力は成り立ったのである。電気こそが日本再生の基本だったし、今日の日本の経済的な繁栄と政治的民主主義も、まさに電気によって現在も保たれているのである。

恐らく世間の人の考える「誰でもが正当に報いられる生涯」というものは、現世である程度の物質的な幸福や、家族的平安を得られることを指しているのだろうと思う。私の描いた主人公の人生はそうではなかった。「為せば成る」の原則が生きていて、善意と努力を続ければ、必ず幸福を手にするという答えは与えられなかった。

しかし、それでも彼が手がけた道はできた！　その上を何も知らない多くの人たちが、以後数百年、数千年にわたって、商売や、旅行や、家族との再会のために歩くのである。その道を彼は造ったのである。彼は現世での平凡で穏やかな生涯を送ることはできなかったが、彼は神からみて、「義人《ぎじん》」であった。

この小説を書くために、私は土木の勉強をした。近年のダムの多くは、自然の景観を壊さないために巨大な発電所自体が地下に埋め込まれている。だから人の眼にも触れず、ひそかに安定した電力を日本全土に送り続けている。しかし東京電力福島第一原子力発電所の事故以来、いやそのもっと前から政治家たちは「もうダムは要らない」と言い続けて来た。電力と水と食料だけは、どんな異常事態が起きるかもしれないのだから、必ず予備の力を保有していなければならない。地震の後も、こうした水力発電所が失われた原発のエネルギーの基本的な部分を支え続けているが、「もうダムは要らない」と言った政治家たちは、前言を取り消すこともしない。

諦めることも一つの成熟

無事にオリンピックが終わってほんとうによかったと思う。ロンドンは厳戒体制だったというから、どんなに関係者もほっとしたことだろう。オリンピックの後に、パラリンピックが開かれる順序になっていることもすばらしい発想だ。

ことにパラリンピックの選手は、「為せば成る」ことを証明したような人たちばかりだ。やる気がない人に、あれほどの記録は出せないのである。

しかし、それでも私は言わねばならない。人生には「為せば成る」のではない場合もある。

パラという接頭語は、何かを超えたもの、ということだ。不規則で、病的という場合もある。「擬似」「準」などという訳が当てはめられることもある。

「為せば成る」という言葉はルール通りということだ。積み重ねて行けば、その高みに達するということなのだから。もちろんそういう人、そうなることもたくさんあるし、そうありたいとは誰もが望んでいる。しかし一九六四年以来、その決意で心を縛られることにはどこか無理がある、と私は感じている。

人間にとって大切な一つの知恵は、諦めることでもあるのだ。諦めがつけば、人の心にはしばしば思いもしなかった平安が訪れる。しかし現代は、諦めることを道徳的にも許さないおかしな時代になった。いつどの時点で、どういうきっかけで諦めていいのか、そのルールはない。その人の心が、その人に語りかける理由しかない。

改めて言うが、できたら諦めない方がいい。津波の時でも、ほんのちょっとしたことで手に触れたものを摑んだから生きた人もいた。上がって来る水が次第に天井に迫って、もう息をする空間がないからだめだ、と思いかけた後で、ほんの数センチを残して増水が止まったのを知った人もいる。すべて諦めなかった人たちである。

しかしこの世に、徹底して諦めない人ばかりいると、私はどうも疲れるのである。できるだけは、頑張る。しかし諦めるポイントを見つけるのも、大人の知恵だ。

「頑張ります」も「必ずやります」も、実は若者の言葉だ。もっとも私は若い時から、そういう言葉を使ったことがない。希望としては頑張りたいのだが、自分の心身がそれについていかない時点があることをよく知っていたからだ。だから「私は一生書きます」とも言ったことがない。八十歳を過ぎたこの年になれば、私はもしかすると死ぬまで細々と書いて来たという作家生涯を送ることになるのかもしれないが、それとても全く偶然である。人間はただ辛くて、それほど頑張れない場合もある。

諦めることも一つの成熟なのだとこの頃になって思う。しかしその場合も、充分に爽やかに諦めることができた、という自覚は必要だ。つまりそれまで、自分なりに考え、努力し、もうぎりぎりの線までやりましたという自分への報告書はあった方がいいだろう。そうすればずっと後になって、自分の死の時、あの時点で諦めて捨てるほかはなかったという自覚が、苦い後悔の思いもさしてなく、残されるだろう。

「頑張ります」という言葉は、青年たちの声としては自然なのだ。しかしその直線的な若さと、それからあえて言えばそれ以外の表現で自分の思いを言えなかったのかという言語的貧しさが、私の疲労を一層増幅《ぞうふく》したような気がしないでもない。あちらでもこちらでも、誰もかれもが頑張ると言うので、聞いている方はくたびれた。そんな時その気分を煽るように、今年はあぶら蟬《ぜみ》もはやばやとよく啼《な》いたのである。

第十一話　沈黙と会話を使い分ける

衆人環視の中で仕事ができるか

人は誰でも、自分勝手な思い込みをする。世界は自分を中心に廻っていると思う癖は誰にでもある。

私がそれを一番感じたのは、五十歳を目前にして、視力がなくなって来た時だった。何となく世界が暗くなって来たのである。一つには、我が家はその当時でも既に古い家で、いつも壁紙と羽目板が煤《すす》けているような感じなのだ。だから照明の光を吸い取ってしまうような気がする。

「このうち、やけに暗くない？」

と聞いても、夫はもともと薄暮の中で電灯もつけずに本を読むほど眼のいい人だから、

「こんなもんだろう？」

という気のない答えしか返って来ない。

照明屋さんになら、明るさを度数で測るという方法があるのかもしれないが、普通の家にはそれがない、ということが、私には悩みだった。「この部屋、明るい？　暗い？」と聞いても、誰一人として客観的に、それに答えられる人はいないのである。

それは多分私の眼のせいなのである。私の眼は先天的に出来の悪い眼で、いわゆる透明な視界を持っていない。後年には、眼瞼下垂《がんけんかすい》という瞼《まぶた》の筋力の落ちる病気まで出た。たとえ僅かでも黒目にまで瞼がかぶさって来ると、何より困ることにあたりを暗く感じるのである。これは数年後に簡単な手術で矯正したが、今でも私は時々「この部屋、暗くない？」と家族に聞いている。眼が暗いという表現はなかなか意味深長な言葉だ。私の好きな表記では「眼が昏《くら》い」と書き、知力がない、暗愚《あんぐ》であるという意味にも通じる。私は心理的に、自分の眼が昏いことを恐れているのである。

しかし実感が暗くても致し方ない。感覚というものはそういうものなのだろう。他人

の感覚でものを見るように、と言われても、それはできない。暗愚なら暗愚なりに、暗愚を生きるほかはないのだ。

そんなことを考えていたら、古い新聞の切り抜きが出て来た。時々捨ててしまうべきものが、変なところに紛《まぎ》れて残っていることがよくある。

それは一九九九年七月八日の朝日新聞で、つまりもう十三年も前の話だ。二十一世紀の司法のあり方を考える「司法審議会」という会合が、その日初めて総理官邸で開かれ、十三人の委員のうちの一人として私が席を連ねた時のことらしい。つまりこの審議会を経て、裁判員制度が設定されたのである。

初会合に当たって、向こう二年間続く審議会の運営方法が審議された。会議に一般市民や報道関係者の傍聴《ぼうちょう》を許すかどうかということだ。

その時に始まったことではないが、審議会の席に傍聴希望者を入れるということは、新しいやり方だった。私がまだごく若い時にはそうでなかった。だからと言って会は秘《ひ》密裏《みつり》に行われるのではない。どんな会でも、後刻《ごこく》座長や会長が、必ず新聞記者会見をして、その日どういう意見が出たか、誰がどういう所見を述べたかをかい摘んで話し、質問も受けるのが普通である。そのほかに、記者の世界では「ぶらさがり」と言うのだそうだが、よく話をしてくれそうな親切な委員を待ち構えていて、帰り道とか、会議の席に入る前とかに、廊下を歩きながら個人的な質問をするのも、少しも妨げられていない。つまり会議の内容はいずれにせよ「筒抜《つつぬ》け」なのである。

　この席で私が、会議には原則第三者を入れないことを提唱し、当時、整理回収機構社長だった中坊公平《なかぼうこうへい》氏はオープンにすべきだという意見だった、と朝日は報じている。その理由として私は「不特定多数を意識すると演説になる」と説明したらしく、中坊氏は「国民と司法の距離が遠いことが問題なのだから、審議を国民に近づけるうえで公開は当然だ。サロン化してはいけない」という意見だった。この中坊氏の意見に、（いずれも当時）連合副会長だった高木剛《たかぎつよし》氏と主婦連事務局長だった吉岡初子《よしおかはつこ》氏が賛成していると新聞は報じている。

　こうした席の内幕を思い出してみると、多分私は言うだけ言って、それだけで反論しなかったと思う。だから結果的に審議会は公開された。民主主義の原則に従って、私は少しも不満ではない。しかし常に不特定多数の人目にさらされている中で、人間が自分を発見したり、全く心理的影響を受けずに発言することなどない、と今でも思っている。しかし運命として、審議会はそうした外界の影響を受けていいのである。それが社会の宿命だ。

私は今でも、私の発言の背後のことを覚えている。私は、私たちの審議会は、いわば私たちの仕事場だ、と言ったのである。役人の執務室にせよ、作家の書斎にせよ、そこで行われていることは、普通ならかなり真剣な作業である。無責任な第三者をそこに招《しょう》じ入れても全くかまわない、というようないい加減なものではない。

霞が関の要職にある人が、執務室の一部をガラス張りにして音声も外部に流れるようにしておき、常に自由に外部からそれを見守る人がいるのを許す中で仕事ができるのだろうか。作家が、書斎の一面をわざとガラス窓にしておいて、その向こうの観察室に自由にファンを入れて、彼らの注目の中で作品を書いたりするのだろうか。少なくとも、私には考えられない、と思ったのである。

友情のしるしとしての行為

中坊氏は、この審議会が「サロン化」することを恐れていた。公開することがサロン化を防ぐというのなら、それは少なくとも小説家の仕事場というものを全く知らない人の言うことだ。

テレビに出て来る小説家のように、作家は原稿がうまく進まないと、頭をかきむしったり、書き損ないの原稿用紙を荒々しく丸めて自分の周囲に投げ飛ばすなどという行為はあまりしないだろう。あれは芥川龍之介や太宰治などというあまりにも有名な作家のイメージを、無責任に外部から想像したテレビや映画の演出家が作った作家像だろう。普通、ほとんどの作家はもっと静かに仕事をする。うちには少なくとも二人の作家（夫と私）がいるが、長い年月に、書き損じの原稿用紙を丸めて投げ捨てるなどという場面は出現したことがない。書くという行為に移った後は、もうほとんど書く内容に困ることはないので、淡々と書く行為を続けるだけなのである。

しかし私は昔から近眼だったので、同じ姿勢を続けると首や背骨が痛む癖があるし、年のせいもあって時間的に長く書きすぎると、やはり体が固くなる。それで最近対策を講じた。リクライニングの機能を持つ革張りのソファを、生まれて初めて買ったのである。最近では疲れるとこのソファに移動して背もたれを思い切り倒し、読みかけの本の続きを読んだり、時々はカラスが巣を作ったこともある隣家の立派な大木を眺めている。

しかし仕事場が「サロン化」したことなどは一度もない。仕事場にあるのは、いつも静寂と、そして沈黙である。たとえワーグナーやブルックナーなど、私の好きな音楽が流れていようと、そこは私一人、サロンとはまるっきり違う空気だ。

一人しかいない場所、あるいは特定の人しか入れない場所というものは、悪を醸造《じょうぞう》する場所だと最近世間は思うようになった。しかしそんなことはない。人生には限度がある。その貴重な時間を、話の合う人としかいたくない、と思って自然だろう。

私が長年の友人と続いている理由には、一つ特徴があるような気がする。それは彼らと金銭的、経済的関係を持たないことである。

雑誌社や出版社の求めに応じて、彼らと対談の企画のために働くことはある。しかしそれ以外個人的な「金になる仕事」はしたことがない。知識的に教えてもらうことは多い。しかしそれは百パーセント友情と厚意の結果であって、教えてもらう私は、教授料を払ったこともない。金のやりとり、サイドビジネスは一切しないのである。

最近の私が友情の発露《はつろ》としてする行為は、相手が女性であろうと男性であろうと、いっしょにご飯を食べることだけである。これは文句なしにお互いに楽しく、便利なことだ。一人で暮らしている相手にとっては、私がご飯を作れば、おかずの品数もいささか増えて賑《にぎ》やかでもあろうし、私からみると私一人でもどうせ食事はするのだから、そこで一人増えても全くどうということもない。むしろ私自身が、他人にも食べてもらう張り合いを与えてもらっているのである。

考えてみると私の生活には、一年を通してサロン的空気は全くないのである。原則は一人、そして時々、言葉と思想を持つ人間としての会話が可能な少数とだけ私は暮らしている。

俳優と違って、作家には通常、他者から見られる時間というものはない。あるのは外界を見る時間だけである。私にとって唯一違うのは、講演をする時だけで、これは多分見られているのだろうと思う。だから私は講演が好きではない。

しかしその場合でも、聴衆と講演者との間には会話がないのが普通である。会話がないから、サロン的空気もない。作家の中には、テレビ出演もよくする人がいるが、こういう人は電車の中でも、「××さんでしょ」などと声を掛けられるらしいが、私はめったにテレビにも出ないから、顔も知られていない。これは作家にとって、静かな生活を送るために、かなり大切な条件なのである。

普通人間は、勤めによって収入を得る公的な時間と、家に帰ってからの私的生活の部分とを分けて使っている。個人に還ってからの時間も、三通りの要素に分かれる。全くの一人。家族または気の合った数人との間で落ち着いた会話のある時間。そしてサロンというか、最近の言葉で言うとパーティーのような不特定多数の人たちと過ごす時間である。この三つの種類の時間をうまく配分して過ごしていれば、人は自分の精神の安定を得られるはずである。ただし、お互いがお互いを知らずにいられるパーティーでは、人はえてしてくだらない葛藤に巻き込まれて疲れ果てることもある。これはもちろんパーティー嫌いの私の性格が言わせる偏頗《へんぱ》な考え方だと思う。

実は私はこのうちの二種類しかしていない。最後のパーティーの部分が全く欠落しているのである。多分私は一年に一度もパーティーというものに出ていない。こうした会合への招待状が来ると、自動的に「欠」という字に丸を書いて返送する。

これは私一人の思い違いかもしれないが、私の偏屈《へんくつ》な性格は長い年月には次第に世間に知れ渡って来て、私が欠席だと言っても、これは自分に悪意を持っているからではない、と思ってくれるようになったような気がしている。

ほんとうのところ、私の方にも行かない理由はないのである。ただ人の集まる場所に出ると、とにかく疲れるのである。だからどうしてもそうしなければならない破目になった時には、ほんの短時間で失礼して帰って来てしまう。

一人でいること、と、人と共に在ること、とは、どちらも輝くような時間だ。沈黙と会話と、この二つは、人間の輝ける証である。

お酒以上に魂を酔わせる会話

私はよく一人でものを考えている。現実的に書くものを考えている時もあるが、窓からの眺めを見ながら、ただひたすら、徹底して一人であることを感じている時も多い。人はこういう時間を多分「寂しい」と言うのだろう。

現実の私には寂しい要素は全くない。家族も秘書たちもいるし、私は一応健康だ。しかし私の性格の中には、生まれてこのかた、ずっと消滅に向かう時を実感している。

何といっても座業なので、私は時々マッサージを受ける。それをしてくれる女性はざっくばらんだが、特殊な感度を持つ人で、私の体を触るだけで不思議なことを言う。外から触って私の肝臓が背中の部分で腫《は》れている日があるのだという。

「お酒は一滴も飲んでいませんよ」

と私は言う。飲まないようにしているのではない。別に飲みたくはないのである。

「働きすぎなのよ」

と彼女は、自分の勘に強情である。

「今日は、一字も書いていません」

「書く、書かないじゃない。ものを考えることは疲れるのよ」

少しくらい考えごとをしたって、肝臓が腫れるなんてことはあるものか、と私は内心では納得していない。しかし私にとって考えることは、現実に起きたことと同様に重い実感があることは確かだ。

そして私は、また次の日、今度は羽のように軽やかな会話を楽しむ。年を取るほどに無責任になって来たので、会話も充分に危険を孕み、反省の色は少なく、丁重さは次第に失われ、ワルクチかと思われる表現も出るが、それは親しみの証と思ってくれるような人とだけの間で可能な会話である。会話は私にとってお酒以上に魂を酔わせる存在なのである。

成熟ということは、傷のない人格になることでもない。そういう人もいるだろうが、やはり熟すことによる芳香《ほうこう》を指す言葉のように思う。或る人の背後にあるその人間を育てる時間の質が大切だ。私のように円満に熟さなかった例もあるが、それはそれで致し方ない。

現代の人は、沈黙していられない。すぐに喋るのだが、自由な会話となると、何を言っていいかわからない。店員さんは必要なマニュアルは流暢《りゅうちょう》に喋るが、自分の思想を自分の言葉で自由に語りなさい、と言われると、何も話すことがない人も多い。

成熟した人間になるには、お化粧やファッションのセンスがいいだけではとうてい無理である。沈黙と会話の、双方の達者な使い手になるほかはないのである。

第十二話「うまみのある大人」は敵を作らない

職業に向き、不向きはある

私のように人の気も兼ねず、ずばずばものを言う人間が、「うまみのある大人になれ」などと言うと、それこそ物笑いの種になるのだが、大体人間は「自分を棚にあげなければものを言えない時もある」というのがほんとうだから、私もそのひそみにならうことにする。

私は田中眞紀子文科相《もんかしょう》（当時）に個人的に会ったことはないから、その内面は全くわからない。その発言からだけみると、多分マスコミにもてはやされる才能はある人のようにみえる。しかし政治家には向いていない。職業の選択を誤ったのだろうと思う。

報道される面だけの判断だが、ご主人にもよく尽くす人のようにみえる。あのご主人と仲がいいということはやはりすばらしいことだ。ご主人の方も政治家でなかったら、誠実で文句のない好人物なのだろう。

国民は、公表された事実だけなら判断の材料にすることはできる。私のような素人でも、虚偽の名前で日本に入国した金正日《キムジョンイル》の嫡男《ちゃくなん》・金正男《キムジョンナム》をあっさりと釈放した時には、呆《あき》れて信じられないくらいだった。この一枚のカードをゆっくり使うだけで、少なくとも拉致《らち》問題は今とはちがった展開を見せていただろう。日本では、政治家には向いていない人が、政治家になりたがる。野田総理（当時）は、誠実な方だと思うが、ほんとうに人を見る眼がない。大臣のポストには適当でない器を平気で使う。

実は人を見る眼なんかなくても、レーサーとか、絵描きとか、お豆腐屋さんとか、竹籠編みの専門家とかなら立派に勤まって、その道の大家になる。しかし政治家には向かないということはあるのだ。それなのに戦後の教育は、「皆、平等」で「為せば成る」なのだから、その道に適さない人も、希望があればその道に進んでいいということになる。

自分に向かない道に入ったら自他共にうまくいかなくて、当人も不幸、社会も迷惑を蒙《こうむ》る、というふうには教えない。意図がよければすべてよし、とされてしまうからだ。ついでに言うと、小説家は、性格は円満でなくてもいいが、人を見る眼だけは非常に素早くないとだめな職種だ。

その田中文科相が、平成二十五年度に大学の新設を予定していた秋田公立美術大学、札幌保健医療大学、岡崎女子大学の三大学の申請を一時、却下した。私の身近に、「大臣って、ナントカ審議会の決定を、自分一人の判断でひっくりかえせるほど偉い人なんですね」と感心していた人もいた。大臣は偉くていいのだ。だから「私は誰であろうと、大臣が来られたら、ちゃんと起立して迎えますよ。日本のマスコミ人種の中には、全く起立しない無礼者もいますけどね」と答えておいた。日本のマスコミは昔から総理や大臣に対して総じて非常識に無礼なのをもって、反権力の証などと考えているのである。

実は理論的には、私は今回ばかりは田中文科相の考えに賛成なのである。そういう人はかなりいるらしい。日本では、誰もが大学に行きすぎる。勉強が好きでもなく、卒業までに基礎的な知識も身についていないような青年までが大学に行く。こんなもったいないことはないし、世界的にみても、そんな贅沢が簡単に許される国ばかりではない。

今回の申請の中には、美術大学が一校入っていて、それを知ったとたん、私は「芸術の大学なんか要らないのに」と心の中で思ったのである。しかしこの学校は既に前身となる短大を持っていて、それを四年制に移行する計画だったと知り、それならそういうものか、と考え直しもした。

早い話、小説の大学はない。またなくても少しも困らない。あればそこで小説作法を教えてもらえ、卒業生が全員、プロの小説家になれるというものではないから、つまり要らないのである。小説は、他人とはちがう文学の領域を創ることだから、誰かに教えられるものではない。芸術は本質的に、誰もが独学で学ぶほかはない孤独な道である。

大学生でありながら、ろくに本も読まず、アルバイトやボランティア活動ばかりしている人がけっこういる。私は、大学生の本分はまず勉強することであって、ボランティア活動さえあまり賛成ではない。災害が起きた直後、「床下の泥を掻き出す」ようなせっぱつまった援助の仕事はほんとうに被災者を助ける。

しかし大学生の社会に対する任務は、勉強することなのだ。マージャンはいけないが、ボランティアならすべき、ということもない。ボランティアでさえ、学業の妨げになる場合は多い。ボランティア精神を発揮するなら、常に身近にいる親や兄弟姉妹に、毎日優しくしていくことの方が、よほど実質的な行為だろう。

人間はみんな「ひび割れ茶碗」

さて、中心の意見として大学は既に多すぎるという点で、私は田中文科相と同感だったのだが、その実行の方法について今日は少し語りたいと思う。

もちろん私は大臣の体験などない。ただ日本財団の会長として十年近く働いたので、その時の経験でものを考えている。

思い出すとおかしいのだが、私も一九九五年に日本財団の会長に就任した時には、まず七百億に近い年間予算のうち、広報の予算にかなりの大鉈《おおなた》を振るった。マスコミの世界と、途上国援助の実態なら少しは知っていたから、こんな大金を効率の悪い広報誌や、恐ろしく高価なテレビコマーシャルに払うことはない、と思ったのである。

蓮舫《れんほう》氏以来、有名になった事業仕分けというものは、実は女性なら、誰でもできるものなのだろう。女性というものは、目標の距離も身近なものに設定する癖があるし、数字にも細かい。スーパーに行くと、今日は大根一本いくらするというような日常的な金銭感覚も残っている場合が多いから、予算を切ることは本質的に慣れているのである。

その点、男性は勢力拡張がその本性《ほんしょう》にあるから、もらった予算は必ず使う上、さらに予算額を増やすことに快感を覚えるのであろう。だからほとんどの大学が定員割れすれすれを経験している時代に、なにも新たに大学を新設する必要なんかどこにもない、という感覚も女性ならよくわかるのである。

一つの組織を整理するということは、実はかなりむずかしいことなのである。組織という人格のないものなら、すぐ破壊できる。しかし、組織には必ず人間が付属しているからだ。

財団では私は実に多くの現実を教えてもらった。財団は多方面の小さな組織にお金を出す仕事をする。私の働いた財団でいえば、主務官庁である運輸省関係の業界の団体や研究所、スポーツ振興のための組織、文化的なグループ活動などである。

そのうち、お役人の天下りの受け入れを当然とし、名前から事業内容の推測はできるけれど、現実にはどういう仕事をしているかわからないような組織もたくさんあって、それらはもう長い年月、日本財団からその組織の運営費用、主に人件費を出してもらうのを当然のこととしていた。

いきなり外部からやって来た私からみると、甘い話であった。黙っていても、人件費の一部は安定してもらえるにもかかわらず、その年、それに見合うだけの研究をすることによって、あきらかに社会に貢献しているともみえない組織がたくさんあったのである。私は当然、「そんな甘い話は、やめていただきましょうよ」という感じであった。

働きがなくても、収入が入って来るというような状況は、私の身辺には見出せない。小説家は、れっきとした肉体労働者である。誰かを代わりに働かせて、自分は働かずに「搾取《さくしゅ》」をするということはできない。しかも労働によって得る報酬は、原稿用紙一枚いくらという職人的感覚である。だから私は、私たちのように現実に労働をして稼ぐ人種を「実業家」と呼び、会社の机に座り会議に出て物を売ることで利益を得る人たちのことは「虚業家」と言うべきだ、とよく笑ったものであった。

その頃、こういう天下りお役人の引き受け先で、ほとんど何も研究成果らしいものをあげていない財団などの出先機関を整理すべきだという機運は社会にもあった。だから私の働いていた財団だけが、風当たりの強いのを覚悟の上で、その予算上の再編成をするという必要もなかった。「今年は申請を認可しない」旨の通達をすれば、それは可能だったのである。

私の初年度の仕事は、最近風に言うと「事業仕分け」、昔からずっと言われている経費の合理化に向けられた。私はろくろく客観的に評価されるような成果もあげないで、「そこに出勤している」だけで、給料を受け取る人たちを「飼っている」ような組織には、ほんとうは今日からでも金を出したくなかった。お金は、それが生きる場に出さなければならない。ことに公金こそ、この点の見極めが非常に重要だ。

しかし私は最初から、急激な「取りつぶし」をしてはいけない、と反射的に感じたのである。どんなにその組織で働く人が無能な怠け者でも、その人の家族は、彼の収入によって生きている。彼の娘や息子は、父の収入で、将来の計画を立てている。だから、急に、その人の生活が成り立たないような処置を取ってはいけない。

私はそれらの半分休眠しているような団体に、大体三年後を目安に、人件費などの経費援助を打ち切る通告をした。今年急にゼロにするのではなく、三年間に次第に額を減らして、その現実を実感して準備をしてもらう。存続が必要な団体であれば、その間に必ずどこかから別の援助の口が見つかるだろう。私の体験によれば、現実に救いの手は必ずあるものなのだ。しかしその間に何一つ自助努力をしないなら、その団体は消滅した方がいいという時期に来ているのだ。

そうした財団の決定に対して、もちろん反対や不満をぶつけて来たところは幾つかあったと思うのだが、理事長以下が、もともと素人の私の耳に届く前に、そのクレームを処理してくれたのではないか、と私は思っている。

それに現実としても、財団の収入が次第に減って来ていた時期に当たっていたし、はっきりした理由が明示されていれば、公的機関がそれに反論を唱えることは基本的には無理だということもある。

その時に私の心にしきりに浮かんだのが、人間はみんな、「ひび割れ茶碗」だ、という思いであった。私のような年のものは、ことにその思いが深い。私はまあ、今のところ、軽い膠原病《こうげんびょう》が出ているだけで、これは直接的な死に繋がる病気ではないというのだが、現実に無理な生活をすると、死んでしまうような病気を持っている人はよくいる。

そうでなくても、どの家庭も、どこかに弱い人を抱えているものだ。一見まとものような家庭でも、お父さんが不眠症で深刻な精神状態だったり、お母さんの母親が徘徊《はいかい》老人だったり、息子が下宿先で火事を出したり、妹が交通事故に遭ったりしている。

人生はそういうことがあって普通なのだ。だから急な生活上の、ことに経済的変化は、出なくてもいい病人や死者を出すことになりかねない。壊れるまでは行っていなかった家庭が急に崩壊し、正常にみえた神経が突如ぶち切れたりする。だからどの家庭も家族も、多かれ少なかれ「ひび割れ茶碗」なのだ。それでもまだ水は漏っていない。しかし卓上に置く時、少しそっとしてやる方が長持ちする。

想像力の欠如がまねく混乱

今回、大学設置を検討する審議会を通っていた三つの大学の新設決定を、田中文科相は一人で即座に拒否し、その後再び認可の方向に妥協した。あまり思慮のある人とは思えない。それらの学校は、長い時間をかけて必要な書類は揃えて何回も文科省に足を運んで、役所の意向も確かめ、お金も時間もかけて校舎・教員その他を揃え、パンフレットを作り、学生の募集を始めた。進学を希望する学生もそれなりに進路と将来を計画した。

民主党のやることはいつでもよく似ている。マニフェスト通りにするからというので、それまで何百億とかかった八ッ場《やんば》ダムの建設を中断した。関係者はまさに振り回され、厖大《ぼうだい》な経費が無駄になる、という図である。

一般的に新設大学も、「もう要らない」時期に来ているなら、それはその方向に向かえばいい。しかしその処置は緩やかにやるのが、人間の叡知《えいち》というものだ。すでにあるダムの設置に向かって多額の投資をしていたなら、そのダムだけは完成させて、後続の計画を取りやめるのが穏当だ。ダムでも大学でも、常に次の新しい時代の要求に応えることは当然だ。新時代には、ダムは原則造らないことにする、大学は新設をやめる方向で動く、というなら、まず学校当局にも世間にもその方針を周知徹底させ、余程のことがない限り、甘い基準で設置計画を開始しないように防ぐことが大人の知恵なのである。

今でも多分同じだろうと思うが、自動車の運転を習う時、私たちの時代には、予備制動を掛ける技術を習った。いきなり急ブレーキを踏むのは下手なドライバーである。止めなければ危険と思ったら、まず軽くブレーキをかけて速度を落とし、それから本式の制動姿勢に入る。この手腕がないと、乗っている人がむち打ち症になったりする。

論理は正しいのだが、その間のうまみに欠ける人というものは世間に多い。田中文科相はまさにその一人だったのであろう。役人がよってたかって正論を曲げさせた、とご当人は思っているかもしれないが、「ひび割れ茶碗」を割らない方法などというものは、規則書にも書かれていない。しかし簡単な人間性によって本能的にわかっているのが普通なのである。それは決して、長いものに巻かれることでもないし、正義を曲げることでもない。むしろ正義を通すための初歩的な生活の技術、つまり成熟した大人の判断によるものなのである。

私は、大学の設置を検討する委員会のようなものの性格も、この際、再検討するのには賛成だ。文科省の用意した資料を前に、ほんとうの是か非かを検討する委員会ではなく、形式的な幾つかの質問をしてそのまますんなりと議事を通す文科省御用達の「承認機関」にすぎない、ということは大いに考えられるところだ。

もっとも世間が考えるほど、こうした委員会の手当は高くないから、委員は儲けのためというより、文科省と繋がりがあるという一種の名誉欲か箔《はく》付けのために出席している人が多いだろう。ほんとうの検討をするなら、Aは認可されたが、Bは通らなかったというくらいの議論はある検討委員会でなければならないのは当然だ。

こういう席で、シナリオ通りの検討委員会が開催されるのが、多分役人主導の政治と言われるものなのである。

「すべて存在するものはよきものである」というトマス・アクィナスの言葉を生かすためにも、今回のいささか幼稚な眞紀子騒動を生かして、大人は常に柔らかな知恵とその結果としての穏やかな変化を見守ることを、世間は学べばいいのである。

第十三話 存在感をはっきりさせるために服を着る

破れたジーパンは幼稚な証拠

ごく若い頃から中年にかけて私はよく着物を着ていた。子供の時習わされた日本舞踊は才能がないのでものにならなかったけれど、その時に和服に親しんだおかげであった。とはいっても私は小説以外のことにはあまり熱心になれなくて、着付け教室にも通ったことがないので、帯は遂に結べるようにならなかった。

しかし狡《ずる》いことを考え出すのも好きだったので、友人がもったいないというような帯もさっさと切って付け帯にし、普段の外出にも外国へ行く時も気楽に着ていた。

ことに外国で着物を着ることは非常に便利なものであった。まず日本人の体形の悪さや貧弱さを、着物は充分にカバーしてくれる。洋服だったら、これくらいの格式の晩餐《ばんさん》会《かい》ならどの程度の服を着なければならないという計算が厳しくなるのだろうが、外国人の私にはそれができないから和服なら誤魔化《ごまか》しが利くのである。

さらに楽なのは和服には宝石がいらないからであった。洋服は最後のところは、宝石で「勝負をする」と昔は言われていた。終戦後間もなく聞いた話だが、外交官に嫁ぐ予定のお嬢さんに、お婿さんの家庭から、「他に何も要りませんが、宝石をお持ちください」と言われたという話を聞いて私はぞっとした。

我が家は資産家ではないから、こんな話にかかわる可能性はないのだが、人中に出て行くのが嫌いな私は、もともと宿屋の奥さんや外交官夫人にだけはもらっていただけないと考えていたので、益々その思いを深くしたのである。

考えてみると夜会の時に着る裾《すそ》の長い服と、今はあまり流行らなくなったがパジャマではないいわゆる裾の長いネグリジェとは、本質的に全く同じスタイルなのである。片やもっとも格式の高い礼装、片や他人には見せない寝間着《ねまき》である。

もちろんデザインも生地も違うものだが、どこでその格の差がつくのかというと、アクセサリー、つまり宝石をつけるかどうかなのだろう。人間は寝る時、ダイヤの首飾りなどしていたら、首に刺さってとても安眠できないのである。

最近では少しずつ服装に関する発想もちがってきて、宝石もよくできたニセモノを使えるようになった。普段着も外出着もなくなり、汚れたり破れたりしているのもファッションの一つと考えられるようになった。気楽といえば気楽だが、こうした状況はグレードの低いものに常に標準を置くという姿勢に繋がる。

つまり平等や流行を口実にすることは、学校のクラスで常に成績の悪い子に標準を置くようになれば平均の学力が上がらないのと同じことになる。

「破れたジーパン・ファッション」に対して、私はかなり本気で怒ることもある。

私は中年以後によく仕事でアフリカに行くようになったのだが、アフリカでは今でもボロボロの衣服は常に貧しさの表れと思われている。貧しい人は、ズボンを一枚買う時には、決して破れたり、生地が透けるほど弱くなっているような古着を選びはしない。やはり服を新調するということは、新品で、穴が開いていなくて、色が褪《さ》めていないことが条件だ。そういうものにしか、なけなしのお金を払おうとは思わない。

だから私はアフリカ行きの同行者の日本人が、破れたジーパンをはいて来るのには、かなり抵抗を覚えるのである。破れたジーパンは、次のことを示すだけだ。

(一) その人が貧乏である。

(二) (相手が破れたジーパン姿なら) その人は自分に会うことを、評価していない。

つまり自分をばかにしている。

判断はそのどちらかになるのだ。

アフリカでつましい生活をしている青年は、真面目な目的で人に会う時は、精一杯のおしゃれをしてくる。子供の学校の開校式があれば、清涼飲料水の会社からもらった社名入りの宣伝用のTシャツであろうと、真新しいのを着て来る。自分のお金では買えないから、こういう晴れの日のためにとってあったものだ。

あるいは少々体のサイズに合わなくても、従兄弟《いとこ》から借り着をした背広を着て来る。ネクタイもしてくる。破れたジーパンだけは失礼ではけないのである。

こうした悲しい大人の世界の判断があることなど、日本人は全く想像できない。つまり他者の生活にはいかにさまざまな事情があるかということを、思いやる能力がないのだ。他人の生活を思いやれないということは、その人がどんなに学校秀才であろうと、大人になっていない証拠である。

そのこと、あるいはそのものが、この社会の中でどういう位置を占めるかという全貌を見抜くことができない利己主義者なのである。そして子供は原則、利己的である。

色で表現できること

着物の話に戻らねばならないが、六十代の半ばから十年おきに、私は両足の骨折をしてしまった。どちらの場合も、術後、無謀なくらい歩いたので、危惧されたように寝たきりにもならず、車椅子のご厄介にもならず、杖《つえ》もつかずに歩けるようになったが、いつのまにか心理的に着物を着るのを嫌うようになっていた。

「それはつまり、体力が落ちたっていうことよね」

と口の悪い友達が言う。確かにそうなのだ。衣服を美しく着るには体力と気力がいる。立ち居振る舞いというものには気合が必要だ。私の骨折は両方とも足首だったので、そのへんの力が抜けると、腰が決まらないのである。

しかし二回目の骨折から六、七年が経って、ある時私は着物を着なければならなくなった。今回も適当な服がない、作るのも面倒というのがその理由だった。そしてほとんど十年ぶりに簞笥《たんす》を開けて、どうやら着られそうな着物を引っ張り出した。

時を同じくして、私の家に送られて来る雑誌の何冊かで、私は着物姿のご婦人をたくさん見た。

「着物は流行らなくなった。和服の時代は終わった」と言われているけれど、茶道、華道、日本舞踊、民謡などに熟達した方たちは、やはり着物とは縁が切れない。

日本経済は不景気だと言われ、職人芸を要求される染めや織りをする人たちの数もめっきり減っていると言うけれど、やはり年月をかけて作った凝った着物はいくらでもあるし、高価な着物を買う層もなくなってはいないのである。

しかし数人の特殊な人たちを除くと、着物の流行でいささか気になることがあった。それは着物の色調が全体に地味に淡くなっているのである。

今でも私の着物に対する憧れの源は、歌舞伎と能の衣装にあるのだが、この両者の表現力の強さというものは並大抵ではない。

西洋の衣服は彼らの使う食器と似て、単調な色使いである。私が今でもわからないのは、正式の晩餐会に使う食器は、何百人前であろうと、すべて同じ模様の、ただ大きさだけが違う食器が初めから終わりまで出てくることだ。豪勢な食事の間中ずっと同じ色と模様のお皿が出て来るのだから、私は飽きてしまう。その点、一皿一皿、違う趣向の皿や小鉢やお椀が出て来る日本料理は、正直言って味よりもその器の変化がすばらしい。

西欧人の正式な服装は、服も帽子も手袋もハンドバッグも基本としては同系色で揃えようとする。しかし歌舞伎の衣装や能衣装は全く違う。

日本の伝統は対照的な色使いを好む。反対色の冒険を堂々とし続け、その中で日本固有の絢爛《けんらん》たる美も動きも示しているのである。

歌舞伎のお姫様が着る衣装は、赤と黒、紫とオレンジ、緑と黄、紺と茶、といった大胆な色の取り合わせである。いや外国でも例外としてすぐ思いつくのは、ミケランジェロによってデザインされた服を、今でも使っているというヴァチカンのスイス傭兵《ようへい》の制服で、膨らんだ装飾的な袖《そで》の部分は濃い黄色と紫色の取り合わせだったと思う。日本人は傭兵などというと、すぐに平和主義に反するということで怒るが、スイスの田舎に育つ素朴な青年は、すぐ近くにあるヴァチカン、つまりイタリアにさえなかなかお金がなくて旅行できない。ヴァチカンのスイス傭兵になれば、憧れのローマ勤務ができる。ミケランジェロのデザインになる制服を着て兜《かぶと》をかぶり槍《やり》を持って、儀式の時には必ず教皇のごく近くで儀典的《ぎてんてき》な警護に当たる。世界各地からやって来る娘っ子の人気も大したもので、ツーショットの写真に入ってくれと頼まれたりする。これ以上きれいな色は考えられないほどだろうと思われるものは今でも、常に愛されるのである。

しかし雑誌で見る日本の奥さま、お嬢さま方の「お召し物」は本当に地味で慎ましい。お金は充分にかかっているのだろうが、ぼんやりとしたグレー、クリーム色、淡いピンク、輝きを抑えたシルバー、ピンキッシュグレー、銀鼠《ぎんねずみ》等、私から見ればまだ充分にお若いのに、考えられないほど控え目なのである。

ひさしぶりに着物に袖を通し、これからも少し着物を着ようと決心したおかげで、親の代からの呉服屋さんだという人と、しばらくぶりで和服談義をすることにもなった。私の方から、こういう地味な和服の流行に対するワルクチを言ったのである。

実は趣味、好みというものは理屈がないものだから、その人が好きならそれで完璧なのである。また地味を派手に生かすほんとうの美人というものを、私はよく知っているのだが、そんなことも承知でいながら、いい気になって「もっと派手になさればいいのに」などと言ったのだ。

お茶席の着物と、世間の一般的な「およばれ」の着物とは、違っていいのだとは思う。私が外国で着物を愛するのは、あの巨大な色とりどりの大理石の柱、実物の人間よりはるかに大きい天使の羽根が広がっているような彫刻、部厚で凹凸のはっきりした金縁、鏡、シャンデリア、といったような派手な道具立ての建物の中で、日本人が、細い路地の築地塀《ついじべい》の外を静かに歩く女性が着ていると美しいと思う紬《つむぎ》など、実は雑巾《ぞうきん》にしか見えないことを発見したからだ。

「目立ちたくない」は卑怯な姿勢

まだ若い頃、私は宇野千代さんのデザインによる着物を着てローマを歩いていた。今思い返してみても、大して高価な着物ではなかった。ただそれは綸子《りんず》で、黄色の地に宇野さんのお好きなサクラが一面に散っているような染めの小紋《こもん》だった。その着物は、春のローマでは東洋の黄金の世界を思わせたのだろうか。横断歩道を男性が歩いていたって決して止まってやらないローマの自動車が、私が歩くと日本のようにぴたりと止まってくれる。私が、ではなく、私の着物がきれいだったから、止まって眺めたのである。

この逸話は私が捏造《ねつぞう》した自慢話ではない。私はたまたま作家の大岡昇平氏とローマでは同じホテルに泊まっていたことがあった。すると大岡氏も、ここの自動車の運転はめちゃくちゃで、横断歩道でも突っ込んで来るからおっかなくて歩けない、とユーモラスにぼやかれるので、私が「それなら、私が先生をお守りして渡してさしあげます」と言っていっしょに道を歩いたのである。するとあらゆる自動車が優しく止まるのである。

着物の輝きと、自分は誰よりも女に甘い男だということを、たとえ一瞬でもいいから世間に見せたいローマっ子の心情の表れなのである。

美しいものを追求するのに西欧人は他人に遠慮しない。他人の眼を気にしない、と言いたいところだが、他人の眼に自分はきれいだと見えるために装うのである。

着る人自身が美しいことはもちろん願わしいが、私たち全員がそれに該当するとは限らない。その場合、他のもので補完するのだ。姿勢がいいこと、会話が楽しいこと、人をいたわることを知っていること、教養があること、見るからに明るい人であること、おしゃれの心を常に持っていること、そのほか何でもいい。自分は人とはちがうという存在感をはっきりさせるために努力する。そのための服である。

私は全く茶道を知らないので、ほんとうは言及してはいけないのだけれど、お茶席の着物は、あまり派手ではいけない、と誰かが言っているのを聞いたことがあるような気がする。誰でも「配慮」ということは必要だ。今は知らないが、昔新橋の芸者衆は決して刺繍《ししゅう》の着物を着ず、指輪も身につけなかった。もし女性のお客さまが来られて、その方より高価そうに見える着物や装身具をつけていたら失礼になるからだ、という配慮があったのである。それに芸者は、お座敷では座布団に坐《すわ》らない。

配慮があるということは、いつでもどこでも必要なことだ。しかしお茶席の着物が地味であることが、他人から非難されないためだとしたら、むしろこんな貧しいことはない。そして日本人の心情、無難な生き方を求める姿勢の中に、目立たないという条件があることをこの頃、私は感じるようになった。目立たない、ということは、称賛も受けにくいが、つまり非難される要素だけは取り除くという守りの姿勢である。今の日本人には、この卑怯な姿勢がいたるところに見える。

たとえそれが合理性に欠けるものだと思っても、霞が関の官僚の九十パーセントまでが、それを直そうという姿勢は持っていない。「今までそうだったから」という前例主義を、「できない理由を素早く言うことのできる卑怯な姿勢」が守るから、事は全く動かないのである。

霞が関の住人は「できない理由を素早く言うことのできる秀才」だと私は初め言っていたのだが、ある人がそういうのはペーパー秀才に過ぎず、与えられた問題の解答は出せるけれど、この世で何が問題かを考えることは全くできない人だ、と教えてくれた。

服装は、軍隊のような特殊な集団でない限り、ほんとうは個の確立のためにあるのだ。つまりその人が目立つために装うのである。目立つということは「私はこう考えています」「私はこう振る舞います」ということの証でもある。礼装以外の軍服が目立たなくていいのは、兵は自己を主張して目立ってはいけない、集団の力を要求されるからだ。

目立たない服装がいいということはない。それは恐怖心の表れであり、無思想の証拠でもあり、自己が未完成という弱さを表していることでもあるだろう。

第十四話 自分を見失わずにいるためには

広告を作る姿勢

この九月に国際オリンピック委員会の総会が行われ、そこで二〇二〇年のオリンピックとパラリンピックの開催地が決まるという。

私はもちろんそういう組織の実情にきわめて疎いのだが、それでも素人の当てにならない予感として、東京が選ばれる可能性はかなり高いと思う。

その理由の一つは、イスタンブールの場合、確かに大変魅力的な町だが、目下のところシリア情勢が少しも落ち着いていないからである。膨大な数のシリア難民がたえず流入している状態では、オリンピック開催中の安定が推測できない。

それに、外部から働きかけるアラブの多種多様な部族対立の実態が、安全保障の概念のさまたげにもなっているからだ。

またマドリードの場合は、スペインの経済状態が安定していない。人間は経済が不安定になると、その鬱憤《うっぷん》を外部に吐き散らす。個人ならば不機嫌になり眉の部分に縦皺を寄せて、何でもないことにすぐつっかかるようになる。

こういう単純な外界に対する不満の表れは、実は自分の体力の減退や気力の衰退に原因がある場合が多いのだが、不幸を自分の中で消化しきれないと、すぐそれを社会的理由に帰《き》し、社会全体に報復するという形で解消しようとする人もいる。マドリードは目下のところ、この手の社会的ヒステリーに見舞われる可能性が高いのである。そうだと、オリンピックの運営をする側としては多分困るのである。

私は自分の母と夫の両親の三人の老世代を見送るまでいっしょに暮らして、その姿を外部からじっと見ていた時代もあった。今も我が家は私たち夫婦が老人である。

今自分たちが老齢者になってみると、体の不調がしばしば不機嫌になって表れることがよくわかる。この心理的連鎖が常に客観的に把握できるような人間でいられればいいと思うのだが、私もまたこの月並みな悪習から逃れられないことがよくある。

オリンピックに関して言えば、何より日本は治安のいいことがすばらしい。住民が正直で勤勉なことがいい。ゴミがなく、清潔なことも大きな魅力だ。道にいるお巡りさんが賄賂をとらないことだけでも驚異に値する。だから東京が選ばれるとしたら、その理由はマイナス点が少ないだけではないのだが、オリンピックという一種のお祭り騒ぎが始まると早くも奇妙な点が目についている。

その一つは二〇一三年一月五日付の読売新聞朝刊に（過去に新聞に出た記事も実際に挙げなければ伝わらないので具体的に述べるが）、オリンピック誘致に関して次のような全紙（新聞の紙面を丸々一ページ使う）広告が出たのである。


「私、浜田雅功は東京招致できたら、開会式のどこかのシーンで必ず見切れます。YAHOO!®JAPAN　ニッポンのために、インターネットができることを。　GREE　あなたの公約も募集中。　www.ko-yaku2020.jp」

この広告を私が切り取っておいたのは、広告文をほとんど理解できなかったからである。紙面には感じのいい男性の写真も載っていたが、私は無知で誰かがわからなかった。

「オリンピックで活躍した人?」

と聞くと、若い世代にばかにしたような顔をされた。

「『お笑い』で人気のある人です。昔は漫才もやっていました」

「おかしいな。私、漫才大好きだからたいていの二人組は知っているんだけどな」

次に私が、悩んだのは「必ず見切れます」という表現だった。

「面倒を見切れない」という表現ならわかるが、こういう使い方は日本語にないからである。数日の間に会った人にこの意味を尋ねてみたが、中年以上の人はほとんどわからない。

「多分この人がオリンピックのどこかの場面に必ず登場しているということでしょう」

と言う人はいたが、それが正しいかどうかもわからない。

GREEについても、それがどういう団体なのか、組織なのか、機械なのか、正確に説明してくれる人がいないので困った。

さらに私を悩ませたのは、「あなたの公約も募集」という言葉である。総理大臣ならその口から出た言葉は一応「公約」とみなされてもいいかもしれない。しかし一代議士が政治的発言をしても、それは「公約」ではない。ましてや国民は誰も「公約」をする立場にはいない。個人の約束はいかなるサイトで公表しようが、それは「私約」である。ようするに、この広告文はめちゃくちゃなのだ。

ひとりよがりの文章に潜む「押しつけ」

私は言葉というものの、生きのよさや遊びの機能を考えないわけではない。書くものの中で流行語をやたらに使うことは自制しているが、それは文章を書く者として、態度が安易に流れるからである。また、人の使う言葉を、その思想の故に縛ってはならないとも思う。

しかし新聞の一ページ全体を使った広告などというものは、誰もがそこに気楽に参加したり投書したりできるスペースではない。そこにそれだけの大きさで広告を載せようとすれば、それは恐らく今でも千万単位の値段を払わねばならないのだろうし（景気のよかった時代の全国紙の全紙広告の値段は、四千万円以上であったことを、私は実際に当時財団に勤めていて広報の仕事を手がけていたから知っている)、それだけに社会的責任を有するのだという現実も感じていた。

最低の線は、社会の常識や道義を侵さず、かつ日本語がまちがっていないことである。殺人をそそのかしたり、他人を危険に陥らせるようなことを示唆したり、他人に積極的な危害や損害を与えるようなことをよしとしてはならない。

しかしさらに広告として基本的に守るべき線がある。それは、そこに書かれている日本語が、できるだけ多くの日本人に理解されるような表現をしているということである。これは広告主が、お金を払う立場として、断じて広告代理店に要求していいことだろう。オリンピック誘致の場合、都民税を払っている東京の住民もそれを要求していいことになるだろう。

広告を見る全員がわからねばならない、とは言わない。しかし私はこの「見切れる」という流行語を知っている人が中年以上にひどく少なかったことを思うと、それは広告というものの機能、「広く一般に知らしめる」という目的を果たしていない、と思う。

オリンピックは、すべての世代がかかわるものだからだ。

もちろん年寄り世代の知らない言葉でも使ってかまわないのだが、その場合は、そうした最新流行語を知らない「知的弱者」のために、粋な解説をつけ加えるべきである。たとえばどうしても英語の単語を使いたい時もあるだろう。その時には、やはり訳に当たるものを解説として付けるべきなのである。

こうしたひとりよがりの文章が登場する背後には、むしろ押しつけがある。つまり私が知っているのだから、あなたが知らないことは、あなたが時代遅れで悪いのよ、という態度を押しつけることなのだ。

私は大学に行くことのできた世代で、しかも英文科を一応卒業した。大学時代、小説ばかり書いていて、英語を学ばなかったダメ学生ではあったので、今でも始終わからない単語に出会う。すると一応その度に、少しは恥じて「字引を引かなきゃ」と反省している。

しかし私より年上の人たちは、大学へ行く道も開けていなかったし、今ほど英語が必要だとは思われない時代だった。電子辞書を持っている人は昨今多いが、その機能の中で英和辞典を引く習慣のない人はけっこういるだろう。

誰もがみんな英語をわかるという前提のもとに、英語の単語を日本語の表現として使うことはほんとうは避けるべきなのだ。「テレビ」とか、「コンピューター」とかいう程度に一般化していなければ、ほんとうは無礼なものなのである。

自分を正当に認識できるか

さらに私たちはまだ若い作家の時、先輩から人間としての謙虚な姿勢というものを習った。新聞に連載小説を書く場合の姿勢である。

新聞連載とは何かさえ知らない人のために一応解説をつけ加えると、新聞に一年間続けて、一つの筋の小説を書き続けることである。今までのところ、新聞の連載小説というものは、一日分、約千百字か千二百字である場合が多い。つまり四百字詰め原稿用紙約三枚分である。

そういっても、日本語で長い作文や手紙を書いたことのない子供や大人が多い昨今だから、それがどういうものかを想像することはできないだろう。今の小学生には、お年玉つきのハガキの宛て名を書くこともできない子供がいるという驚くべき話もある。

とにかく作家は一年かけて、四百字詰め原稿用紙一千枚以上の長さの作品を書くのである。一千枚の原稿用紙というものは、積むとちょっとした低い腰掛けにはなる。

若い作家が初めて新聞連載を引き受ける時の恐怖は、なかなかのものだ。筋は決まっているのだが、つまり終わりまで書けているわけではない。途中で筋が乱れたらどうしよう、こういう配分で書いて行って、果たして一千枚前後で終わるのだろうか、それとも足りないのだろうか、と心配の種は尽きない。

すると先輩がいろいろ忠告を与えてくれる。今はそういう温かい「余計なお世話」もないのだそうだが、私の頃は皆優しかった。忠告はたくさんあって、それをすべて守ろうとしていると、緊張がますます高まるが、中身は次のようなことだった。

読者が、その新聞小説を読み続ける気になるかならないかは、最初の十日分でほぼ決まる。さらに確実に安定した読者をつけるためには、一月分、つまり三十回、約百枚のうちに、読者の気持ちを引きつけねばならないのだという戒めもあった。

まあどの世界でも、修業時代には、こうした荒波を被《かぶ》りつつ成長して行くわけで、それはむしろ当然の技術を習うことなのだが、その中には、小説の書き方というよりむしろ道徳的な姿勢さえ含まれていた。作家が終生守らねばならないのは、相手に読んで理解していただく、という謙虚な姿勢を持ち続けることなのだ、という点である。

作家にとって、連載小説の中の登場人物や筋は、自分の一族のことより詳しくなっている。私たちは親戚でも、一人一人が、何を考えているかなど、よく知らないものだが、作者は作中人物の生みの親だ。その世界を誰よりよく知っている。その一人一人の思いも体験も、すべて記憶している。当たり前のことだ。

しかし読者というものはそうではない。毎朝その連載小説を読むような熱心な人でも、新聞を読んでいるうちに玄関のベルが鳴って、立って出なければならないこともある。台所の薬缶《やかん》の沸騰する音がし始めれば、火を消しに行かねばならない。仕事を果たした後で、再び新聞に戻れるという保証はない。洗濯物が落ちていれば、それを吊るし直すために、ベランダにも出なければならない。お昼が近いと思えば、炊飯器にお米を研いで入れておかねばならないこともある。

そんなことで人間の一日は、切れ切れで終わる。登場人物がどうなったか知らないまま、夜が来る。翌日、再びその連載小説を読んでみようと思ってくれる読者は優しい人だ。しかし昨日一日分の話の後半をその人は読んでいないのだから、中年男の主人公が、駅の改札口を出たところに、長らく会っていなかった昔の恋人に、果たして会えたのかどうかさえ知らないままなのである。

「曽野さん、読者に甘えちゃいけませんよ。読者はみんな忙しいんです。どんなにあなたのファンだという人がいても、その人がまず確実に毎日、あなたの連載を読み続けていて、筋も覚えていてくれるなんて思い上がっちゃいけない。小説なんて、この世で大したものじゃない。だから、小説を読むことは、たいていのことの後回しなんだ。でも書く方は居住まいを正して全力をあげて書かなきゃいけない。しかしあくまで、今日、自分の小説を読んでくれる人は、初めてこの紙面を見るか、昨日の部分は読んでいなかったか忘れてしまったにちがいないと思って、きちんと構えなきゃいけない」

初めての方に理解してもらうという姿勢を整えることが、ものを書くことの基本姿勢なのである。もちろん親友なら私の家族関係から、飼い猫の名前、夕食の時何を飲むかまで知っていることもあるだろう。しかし不特定多数の読者に対しては、相手がこちらのことを何も知らない人なのだという基本から始まって、自分の思うことを伝えようと、あらゆる努力をしなければならないのである。

多くの人にわからないような広告に払う費用の出所は、多分都民税なのだ。だからこういう杜撰《ずさん》な広告を作る会社を、都庁は監督しなければならないし、都民も見張っていいのである。

別に広告や作家の小説の世界ばかりではない。

子供は、いつも健康な意味で自分中心だ。しかし大人はそうであってはならない。大人になる、成熟するということは、自分をこの地球上の、どの地理的地点と、時間的地点に置いて認識しているかにかかっている。

私たち日本人にとって、日本のたいていの地名は、たとえ自分がそこに住んでいようといなかろうと、或る存在感を持って考えることができる。親友がそこへお嫁に行っているとか、修学旅行で訪れたとか、民謡の発表会があったとか、何かに関連した記事で読んだことがあるとか、それぞれに個別な土地の認識があるのである。

しかしアフリカの途上国の奥地の村に育ち、貧しいのと教育も受けなかったのとで、隣村にさえ行ったことがないような人々は、村の中に住む自分しか自覚していない。世界の中の、どんな土地に自分が帰属しているか、認識のしようがないのである。

私は何度かアフリカで、日本のことを知っているかと尋ねたが、日本がどこにあるかを知っている人はほとんどいなかった。学校に行っている人はごく少ないし、学校に世界地図などないのが普通だからである。

「ホンコンとは違う国か?」と聞いた人はよくものを知っている方で、若者の中には「ホンダ! スズキ!」と叫んだ人もいた。日本について知っていることは、お金《かね》ができたら買いたいと思っている日本製のオートバイの名前だけなのだ。しかし中には「小澤征爾《おざわせいじ》は今日本にいるのか。それともアメリカに住んでいるのか」と聞いたインテリもいるのである。

世界を意識した地理的、時間的空間の中に自分を置き、それ以上でもそれ以下でもない小さな自分を正当に認識できることが、実はほんとうの成熟した大人の反応なのだと思う。

第十五話　他人を理解することはできない

おもしろさは困難の中にある

最近、多くの人たちが、ボランティア活動をするようになったのを私はいいことだと考えている。第一に、ボランティアをさせてもらうことで、今まで自分が知らなかった他の社会を知ることができる。そうでなければ、私たちの多くは井の中の蛙《かわず》みたいな暮らしに慣れてしまう。その認識が大切だが、順調な生涯を送る人たちの多くはそのことに気がつかない。

私の知人に、すばらしい中年の美女がいる。服装の趣味もいいし、会話にも深みがある。知らない人は、その人を「昔、モデルさんをなさっていた方ですか？」などと言う。

しかし私の知るところ、彼女は地味な会計事務所で働いているうちに結婚した。二人の子供ができたところで夫の浮気が発覚し、それと同時に彼女の心理にも変化が起きた。夫に魅力を感じなくなって来たのである。

子供を連れて離婚した後、元夫は子供たちの養育費も生活費も送って来なくなった。どうやって暮らしていいかわからない。彼女は二人の子供を連れて、住み込みの寮母になった。どういう組織の宿舎かわからないが、掃除も食事の支度も何でもやった。とにかくそういう職場なら、幼い子供といつもいっしょにいられる。下の子供は寮の廊下でおもちゃの自動車を走らせて大きくなった。

今その子供たちも成長して、彼女は独立して別の会社を作って働くようになった。その姿が、私たちが見るその女性なのである。あの方モデルさんだったのかしら、と遠目に彼女を見かける人が言う姿である。人間は他人の苦労や過去の経歴など、ほとんど何も知らずにものを言う。知らないことは致し方ないのだが、その自覚がないのは困る。

最近、災害がある度に働いてくれるボランティアという行為が根づいたことは、ほんとうにいいことだ。しかしその多くが、一方的な善意の押し売りであり、その効果の最大のものは自己満足なのである。そう言うと怒る人がいるだろうが、いても別に不思議ではない。「私は人のためにしているの」と信じる人が大多数だ。「これは私が時間つぶしにやっているんですから」とか、「昔、姑とどうしても折り合えませんでね。その時の辛い思いを少しでも償おうと思って、ボランティアをやらせてもらっているんです」と言った人が或る時いたが、むしろその方がほんとうにボランティアという行為を正当に認識している、と私は思っている。ボランティアは自分の心に向かってやるのである。しかしもちろん被災者の多くは優しい人たちだから、少しでも助けられた方は、「ありがとうございました」と礼を言うのが普通である。

私は昔、初めて身体障害者たちと外国を旅行するようになった時、その指導司祭を務めてくださった日本人のカトリックの神父に言われた。

「曽野さん、僕たちがこの仕事が楽しくてたまらなくなったら、やめた方がいいな」

それは自己満足のためにしていることになるのだから、ということである。もちろん障害者の方たちとの旅が、全く楽しくないわけではない。どころか、私はずいぶん楽しんだ。

或る年など、私はわざと放牧民のテントに泊まるという旅程を組んだ。電気や水道がないのは当然だが、砂地を移動するということは、車椅子の人たちにとって、ひときわ難しい情況であることは承知の上である。私自身、六十四歳と七十四歳と二度も足首を骨折して、どんな土地だと歩行が困難か知り尽くしている。しかし荒れ地を歩くむずかしさを助けてくれるボランティアがいる旅でなければ、そういう人たちは、満天の夜空を覆う砂を撒《ま》いたような砂漠の星を見ることもできない。あえて一生に一度しかできないような困難を、私は彼らに贈りたかったのである。なぜなら、困難もまた、確実に平安や順調と同じくらいか、むしろそれ以上の体験という財産の一つだからである。

神父と私が、旅を楽しまなかったのではない。ただ二週間近く、日本を留守にすることは、二人にとってそれぞれかなり大変なことであった。神父は教会を守る代役を見つけねばならないし、その間の連絡その他、厖大な用事の手当てをした上でなければ留守にできない。私は電話やファックスの届きにくい土地に行く間の原稿をすべて書き上げ、その校正刷りにまで眼を通しておかないと、連載担当の記者や編集者は不安で夜も眠れないだろう。しかしそうした困難をどうやら克服し、記者にも編集者にも不便を耐えてもらって、やっと私も成田を発つ。もうほとんどへとへとの状態である。

困難の中に楽しさもおもしろさもあるという単純なことさえ、平凡な暮らしを望み続ければ理解することができない。用心深いと言うより、小心な人の生涯は、穏やかだという特徴はあるが、それ以上に語る世界を持たないことになる。だから多分、そういう人は、他人と会話をしていてもつまらないだろう。語るべき失敗も、人並み以上のおもしろい体験もないからである。話のおもしろい人というのは、誰もがその分だけ、経済的、時間的に、苦労や危険負担をしている。人生というのは、正直なものだ。

礼を言ってもらいたいくらいなら、何もしてやらない

いつかどこかで、今ではうろ覚えなのだがおもしろい人生相談を読んだ。

もちろんやや高齢の女性である。世間で言う親切な人で、隣に自分よりさらに年を取っていて、もっと動けない老女がいるのを気の毒に思い、よく買い物を頼まれてあげたりしていた。

お隣の老女には、息子が一人いたらしい。当然まだ働いていて、普段はいないのだが、

たまに顔を合わせることはあった。しかし彼は「いつも母がお世話になっておりまして、ありがとうございます」と言うでもなかった。

やがてお隣の老女は亡くなった。

世話をした隣家の女性は、当然その葬式に行った。そしてその時にこそ、長い間顔を合わせるだけだった息子から「長い間母をありがとうございました」の一言くらい、挨拶があるだろう、と期待した。しかし息子は遂に最後まで感謝を述べることはなかった。

世話をし続けた女性はそれでショックを受けた。長い年月、自分がやって来たことが、急に空しいことか、ばかなことに思えた。それが引き金で、彼女はうつ病に近い気分に追い詰められた、かどうかそのへんは私の記憶の中であやふやなのだが、とにかく彼女は、鬱々とし、身の上相談に投書しなければならないほどの心理状態になった。

私にすれば、この老女との関係は全く完全に成功したのである。お隣の老女にこの世で、最後の小さな便利や幸せを贈ったのは、この投書者の婦人だったのだから、世間は知らなくても、この人は、立派なかぐわしい人間関係を築いたのである。

しかしこの人は、自分の「仕事」が評価されることを望んだ。別に表彰されることを期待したわけではないだろうが、少なくとも、深く感謝をされることを望んだのである。

私も同じような体験をしたことがある。私のほんのちょっとした手伝いに対して或る律儀な婦人は、娘だか息子だか忘れたが、彼らが私に礼の手紙を寄越すか、電話をかけるだろうと期待していたらしい。しかし二人とも勤めていて、しかもその会社が共にむずかしい状態にあった。何より二人ともそれぞれに忙しい。夜、家に帰る時刻は、礼の電話をかけるのにふさわしい時刻ではない。日曜日は……私にも同じような体験があるが、せめて朝ゆっくり寝なければ体が保《も》たない。そのうちに、いろいろと雑用ができて、私の家に電話をかけてみたらお話し中だったのかもしれない。そんな事情はざらにある。

それに私も同じような「病気」を持っているのだが、実は電話嫌いである。よく女性は友達と長電話をすると言うが、私がそういう事情になることは例外的にしかなくて、しかも人のうちに電話をかけること自体が億劫《おっくう》なのである。

手紙を書けばいいのだが、私にとって書くという作業は仕事だから、手紙を書くことが心理の発散にはとうていならない。そんなこともあって、私は礼を言わない家族というものに対して、実に寛大なのである。というよりむしろ礼など言ってきてくれない方が、どちらかと言うと気楽というものなのだ。

私は大体、他人に対して面倒見のいい方ではない。実は私にとって現世のたいていのことはめんどうくさい。できればしたくない。しかし、こんなことは、私がやる方が一番簡単なのかな、と思うことが時々ある。奥さんや親が死んで、急に一人で暮らすようになってしまった人をたまにご飯に誘うなどということは、私のような立場の者が一番し易いことだろう。私はいつも料理ばかりしているし、形式にこだわらないから、親しい友達なら、台所のテーブルに食事を出すこともいいのではないかと考えられる。

それにそういう親しい人を呼ぶ場合だってご馳走をしないから、「このめざし、実においしいのよ」と言って焼きたてを出せばいいと思える。鯛《たい》の刺身を出さなくったって、ご飯はご飯なのである。

しかしそういうことをするのは、つまり私の趣味なのだ、ということだけは忘れていない。めざしの数が足りなければ、私は呼ばなかったであろう。原稿の締め切りが迫っていれば、やはり私は人を呼べない。その日偶然、食材が我が家にあって、私も友達とご飯の間に喋ろうという気になったから、私は呼んだのである。私は自分の楽しみのためにそうしたのであって、別に誰一人にも礼を言ってもらうほどのことではない。

それに……もしこの投書者のように、長年にわたっていいことをしたのなら、それを褒めてもらうのは、相当偉い人でなければならない。偉い人というのは、警察署長とか、区長とか、文科省の大臣とか、よくわからないけれど、そういう立場の人のことを世間はよく考える。

しかし私は、それでもそれでも足りないと思う。人間の機関は、その人の行為のすばらしさをほんとうには調べ上げられないし、賞状一枚でも、金一封でも、そういう人をほんとうに褒める表現としては足りない。

そういう長年の親切をほんとうに褒められるのは、神だけである。しかし神は、表彰状もご褒美の金もお出しにはならないから、人間は心の中で褒められた光栄を味わうだけになる。

正しく評価できる人はいない

信仰というものはむずかしいものだ。信仰なんか持っているの、とばかにされる場合もある。神などという概念は科学的ではないからである。ところが、私は信仰がないと不自由だろうな、と思うことはある。自分のしたことを正確に評価されることを、他の人間に期待するからである。

しかし一人の人は、常にこの地球上の一点にしか存在できないのだから、自分の眼で見えることは限られている。親切な奥さんが、時々体の不自由な隣家の老女のところに顔を出して、買い物やほかのことを頼まれてやっていることなど、近隣のほとんどの人は知る機会がない。こういう場合、してもらう方が他人に言いふらすのはいいのだが、してあげる側がそれを宣伝したら、「何て嫌な奥さん」となることもわかりきっている。

私が幼い頃から、キリスト教の信仰に触れてよかったと思うのは、自分の行動の評価者として神しか考えないようになったことだ。もちろん私も俗物の最たるものである。お菓子はもらえば嬉しいし、人間に褒められることは、これまた私の心をくすぐるものである。しかし私が何を思って何をしたかをほんとうに厳密に知っているのは神だけだ、という最終の地点の認識はいつも心の中にある。

だから人にどう思われたっていいというわけではないが、いつのまにか、他褒貶《ほうへん》は大きな問題ではない、という心の姿勢が私にはできるようになった。死後の世界を想像することもむずかしいし、そこで人間が生きていた間になし遂げたあらゆる行為が裁かれる、という光景もなかなか想像しにくい。古代エジプトの絵には、人間が生前に犯した行為はすべて厳密に記録され、死後、その量はそれぞれ棹秤《さおばかり》のお皿に載せられて量られ、その際、鳥の羽根毛一本分でも悪の行為の方が重ければ地獄に行く、という図があるらしいが、そういう恐れも抱いたことはない。

一見、世間からは糾弾されるようなことでも、神の眼から見たら多分褒めてもらえるようなこともあるだろう。その反対に、世間がもてはやしてくれても、神の眼から見たら何ら評価されるべきことではない場合も実にたくさんあるだろう。

私が、神の視線を既に獲得したということでは全くない。私にもできれば神の眼を欺いて、よく思ってもらおうと期待する気分はあったし、今でも全くないとは言えない。しかし神の眼というものの評価力は決して欺けるものではないのである。だから年を取るに従って、次第によく思ってもらおうとする元気がなくなって来たのはほんとうである。世間からどう思われてもいい。人間は、確実に他人を正しく評価などできないのだから、と思えることが、多分成熟の証なのである。それは、自分の中に、人間の生き方に関する好みが確立して来たということだ。大きな家に住んでいる人が金持ちだとか、肩書の偉そうな人がほんとうに偉い人だとか、信じなくなることだ。そのついでに、相手に自分をほんとうに理解してもらおうとする欲望もいささか薄くなることでもある。

繰り返すことになるが、もちろん私たちは理解したいし、理解してもらいたい。しかし私は他人をほんとうに理解できるとは思わずに生きて来た。

亡くなった人の息子から遂に礼を言われなかった奥さんも、彼女の行為はすべて確実に神に見られていて評価されていただろう、と思えれば、多分うつになることもなかったであろう。聖書には「神は隠れていて、隠れたところのものを見ている」という思想がはっきり出ている。だからもっと恐ろしいのだ。私たちが人に知られずにやりたいこと――道に落ちていた一万円札をこっそり私物化するとか、夫に隠れて好きな男に会いに行くとか――そんなことも神は、じっと見てすべて知っている、と私は思って来たのである。その結果、私は人間の不順さえも許す気にはなったのだが……。他人から見たら神の眼を信じるなんて、何て幼稚なの、ということになっただろう。

第十六話　甘やかされて得することは何もない

芸が達者でなくても存在できる世界

日本の女性が、外見的にも幼くて、つまり貧弱で、とうてい成熟した女性のふくよかさを持っていない、と感じる人は最近多くなった。誰もが同じような痩せた体つきをしている。ＡＫＢ48のような子供っぽい芸のつたなさや仕種を好むようになったという人もいる。

このグループが初めて登場して間もなくの時、私の知人がちょうど年末年始でもあったのでおもしろいことを言ったのを、私は今でも覚えている。

「どのチャンネルを廻しても、幼稚園生のお遊戯みたいなのばかり見せられてうんざりだったわ。うちの孫のお遊戯褒めるだけで手いっぱいで、とてもテレビの番組でまで楽しむ余裕ないのよ」

私はその言葉に笑いこけたのだが、これはなかなか深遠な意味を持っていたのである。

ＡＫＢ48については、その企画者は利口な人だと言わなければならない。最近の世の中では、少しもおかしくない「お笑い芸人」の芸さえ売り物になる。彼らは自分たちで笑い、自分が笑ったから、それはおかしいことなのだ、と思っているらしいが、何が人生でおかしいことなのかほんとうに理解するには、旺盛な批判精神が要る。本も読まず、教養を身につけようともしない人が、どうして自分や他人を笑いものにできるだろう。

ＡＫＢ48の場合はもっと動機が不純だ。一人の芸では、到底観客の期待に応えられないから、数を揃えて見せれば、若さという素材だけで金になる、という計算が見え見えである。

誰も言わないけれど、私はビーチバレーという競技にも、発案者の不純を感じる。私はバレーも大好き、ビーチでバレーをするのも筋肉を鍛えるのに非常にいいと思うけれど、あのビーチウェアで観客を前にビーチバレーをさせるのには、嫌らしい意図があると思っている。つまりセックスをスポーツに加味して売り物にしているのだ。その淫《みだ》らな意図を意識しないというのは、どこかに嘘があるとしか思えない。もしそうでないというなら、服装を替えればいい。つまり私は自分の娘や孫にだけは、あの服装の故にビーチバレーだけはさせたくないのである。

昔私が小説を書き出した時、往年の文学少女だった母は私に言った。

「セックスを売り物にする題材を書いて、小説が売れると思ったらだめよ」

セックスがいけないのではない。まず何でもないことを書いても、人に読ませる力のある文章力を磨け、ということだったのだろう。

現在のAKB48の歌も踊りも、素人に近い。素人でもいいからAKB48になりたい見たいという人もいるのはわかっているが、そこにこそ不純な動機もある。もっとも、踊りに関しては私はマイケル・ジャクソンのファンなので、あの人と比べると、ダンサーと言える才能を持つ人は世間にほとんどいなくなる。しかしAKB48のダンスを孫のお遊戯と言い捨てた人は卓見《たっけん》だというほかはない。つまり現在の社会には、達者でない芸、一人前とは言えない教養、成熟していない精神が、あらゆる形で平気で存在できるようになったのである。

もちろん、どんな人でも存在できることは悪い状況ではない。ナチスに力があった時代には、多くの人が実にたくさんの理不尽な理由から、生きにくい生活をさせられたり、実際に命を奪われたりしていた。現在も、世界の社会主義的政治体制を持つ多くの国は、日本のように自由ではない。生活のさまざまな部分に眼には見えない足かせのような規制が設けられており、自由に研究も事業も表現もできないという国がたくさんある。それを思えば、売れればいい、金になりさえすればいい、と言って許される国というものは、決して悪くはないのだ。

非人道的なことがまかり通るスポーツ界の不思議

今まで私は、成熟しない人間の未熟さを書いて来たのだが、この章でだけは、今や日本社会の四人に一人が高齢者となったか、なりつつあるという事実を踏まえて、こうした状況に関係のある老人問題を書きたい。つまり、最近目立つことなのだが、老人を不当に評価したりもてはやすような風潮が生まれつつあることについてである。もちろんその陰には、老人虐待の事実も後を絶たない。これはどちらも一種の高齢者差別というものだろう。

今から二十年ほど前、七十歳だか、八十歳だかの高齢になれば、引退するのが良識のように思われた時代があった。しかしこの頃長生きをする人が多くなり、人口の高い比率が高齢者で占められるようになると、高齢者は黙って引っ込んでいなさい、と言うことも不自然になって来た。私は時々、同じ年代のマッサージ師に、

「年相応に暮らしなさいよ。年を考えると、働きすぎよ」

と言われることがある。

「年相応って、どういうふうに暮らすの？」

別にカマトトぶって言っているのではない。私の周囲、同級生、皆が今まで通りに生きているので、改めて高齢者風の生き方というものがわからなくなっているのである。

「猫抱いて、日溜《ひだ》まりで、日がな一日うつらうつらしてるのよ」

この人は頭のいい偽悪家だから、わざと私の神経を逆撫《さかな》でするような言い方をしたいのだ。

「そうね、昔は確かに、そういうお婆さんがいた」

と私は言う。

大体昔の暮らしと今の生活では、家の構造からして違う。昔の家には縁側というものがあり、冬でもガラス戸が開けっ放しの農家もあった。座敷には陶器の火鉢が置いてあることもあって、お湯が始終沸いている。火鉢を置くなら、ガラス戸を閉めた方が熱効率がいいのではないか、と思う時もあるが、昔の農家のお婆さんはそんな格好で開け放した日溜まりの縁側で留守番をしていたのだ。綿がつぶれたような座布団に座り、背中を丸めて雑巾などを縫う。しかし始終居眠りしている上に、時には耳が遠く、家中鍵など掛かっていないのだから、留守番の役にはおそらく立たないのだろうと思うが、それでも、彼女自身は留守番をしている、と思い込んでいるし、泥棒も、縁側で居眠りしている耳の遠い老女がいる限り入らないだろう、ということになっていたのだから、いい時代である。老齢でも、彼女は働いているつもりだったのだ。

しかしこういう機能においてなら、現在の老人は出番がなくなった。玄関に鍵を掛ける方が有効な防犯になるからである。雑巾を縫う仕事もなくなり、笊《ざる》で乾している豆からゴミを拾うような仕事もなくなった。七十、八十の老世代がきれいに髪を整え、マニキュアをし、始終お医者通いや、友人との食べ歩きや、旅行にも出かける。ほんとうに人生は長く楽しめるようになったという感じだ。

勢い、社会との関係においても、昔は若い人たちの独壇場《どくだんじょう》だった世界が、老齢人口に開放された。差別も区別も敷居もなくなったのである。好きで、できる人がやればいいということだ。老人の登山者もますます増えている。高齢のマラソンランナーも珍しくはなくなった。私はとうてい長い距離を走れない。両足の足首を骨折していることもあるからだが、昔からこういうスポーツを信じなかった。人間が発明したものを見ればわかる。重いものを持ち上げることは、むずかしい嫌な仕事だと人間が覚《さと》ったからこそ、フォークリフトが発明されたのだ。長い距離を、重いものを持って、歩いたり走ったりして運ばねばならないことは困難で残酷な作業だから、自動車やトラックができたのだ。重量挙げや、長距離を走ることは、決して体にいいことではない。

人間が生活する上で、こまめに体を動かすことは必要条件だと言う。日に二、三キロの距離を、二、三キロのものを持って運ぶことは、自然な営みだ。

人間は一日に約四リッターの水を必要とする。飲料や料理に二リッター。生活用水に二リッターである。それでも、当然のことだが、風呂の水は計算されていない。家族が五人だとすると、その最低必要量の水は二十リッター、すなわち重量は二十キロである。

水道の設備のないアジアやアフリカの女性たちは、しばしば二十キロの水を一人で数キロの距離を家まで運ぶ。なぜか歴史的に水汲《みずく》みとそれを運ぶことは、女性の仕事なのである。

その苛酷な生活の実態を見る度に、私は、「水道があればなあ」「せめて水を入れたポリタンクを運ぶ小型トラックがあればなあ」と思う。

私はマラソンや重量挙げなど、未開な時代の人間生活を懐かしむような競技を、かなり嫌いになったのは、アフリカの生活を見たからだ。体に悪いことはするな、とスポーツ界はどうして言わないのだろう。重量挙げも、マラソンも、私から見ると寿命を縮める競技で、スポーツ界はどうしてこういう非人道的なことを見逃しているのだろう、と不思議に思うのだ。

なぜ退化したことを自覚できない老人が増えたのか

しかしスポーツの世界にもいい面がある。ジュニアやシニアという分け方が行われている種目があるからだ。しかし問題は何歳でもできるという生活の分野における老人の自覚である。

そのうちに今までだったら信じられないような高齢者が、その道のスターになる例が、ますます増えて来るだろう。高齢の俳優ももちろん必要だし、文章を書くことにも、頭がぼけない限り、年齢の制限がない。現実的には、ぼけた話だって書く必要はあるのだから、九十歳になって小説を書き始める人が出ても不思議はない。

絵描きや詩人はどうなのだろう。音楽の演奏家には高齢者は無理、と言う人もいるけれど、それもまあ、昔とは比べものにならないほど筋肉のしなやかな人もいるのだろうから、出て来るかもしれない。

私は最近、時々、和歌、俳句、詩集などを読むようになった。詩人で歌人で、他の文学的・哲学的世界全般の達人である岡井隆先生と対談をする機会が与えられてから、時々、岡井先生の作品のほかに、他の方たちの仕事ぶりも眼に留めるようになったのである。それまでは覗《のぞ》くことも遠慮していたような詩歌の世界を垣間《かいま》見させてもらうのは、かなり楽しい時間だということもわかったのである。

まず最初に言っておかねばならないのは、私は和歌も俳句も詩も全く作れない。作ったことがない。自分が作れて他人の批評をするのならまだ許されるのだろうが、作れもしないで批評だけするのは、フェアーではない、ということも知りつつ言うのだが、現代の和歌や詩の一応の権威として世の中に出ている作品の多くは、私にとっては、全く才能を感じられないものが多い。

私は全くの門外漢だから、その歌人や詩人についての個人情報も知らない。お年も、歌人や詩人としての歴史も知らない。したがって偏見の持ちようもない。しかしこの程度の作品しか作らない方が、一つのグループで大家のように扱われているのは、どういう理由なのかなあ、と思うことが多い。

私がそう感じるのは、和歌・俳句・詩などの道に深い尊敬を持っているからだ。小説は夾雑物《きょうざつぶつ》が多くて、完成度も大して厳密なものではない。焼き物で言えば、焼きの甘い陶器の大鉢のようなものだ。

しかし表現の短い和歌や詩は、精巧な磁器の香合《こうごう》のようなものでなければならない、と私は思っている。小説はぐだぐだ書いていても、その歯切れの悪さが、心を引く作品になっているという場合もある。しかし和歌・俳句・詩は、文字一字の勝負である。

私が昔聖書で習ったもっとも含蓄に富むギリシャ語の単語の一つに、「ヘリキア」というのがある。それは普通「寿命」と訳されているのだが、他に「背丈」「その職業に適した年齢」という意味がある。ギリシャ語はしばしば、同じ語にこめられた幾つかの解釈が、人生観に結びついていると思うことがあるのだが、ヘリキアもまさにその一つである。

つまり私たちは人間の寿命をどうすることもできない。一時期、毎年健康診断さえ受けていれば、がんも高血圧も早めに発見され、すぐに治療して、誰もが、長い寿命を手にできるように感じた時があった。しかしギリシャ人は、そんなことはないとはっきり考えていたのである。

寿命だけではない。背丈も、人間は自由に高くも低くもできない。私の母は、私が戦前の娘にしては背が高いことを気にしていた。私の背は最盛期には一六五センチくらいはあったのだ。今では、一七〇センチ以上あるバスケットボールの選手のようなお嬢さんが、そのスタイルのよさで羨ましがられている。母が小柄な女性をいいと思ったのは「お嫁に行き易いから」であった。しかし人間が何を望もうと、人の運命は、それと無関係に進んで行く。

ヘリキアという言葉が、「その職業に適した年齢」という意味さえも持つのは、偉大な叡知《えいち》である。作家はよれよれの老衰の中でも書けることがある。しかし三島由紀夫氏は、老残《ろうざん》の自分を拒否した。作家にもいろいろあるのである。

老年になってもできる仕事だから、といって、最近高齢者にも下手な詩や和歌を作ることが許されている。あるいは、おじいちゃんやおばあちゃんの描く絵だからといって、大して上手でもない作品がもてはやされることもある。

作品は年に関係ない。何歳であろうと、下手ではいけない。老齢の故に過大評価される風潮が、成熟しない大人ではなく、退化した人間を如実に見せつけるようになったのは最近である。「アンヨがおじょうず」とはやされるのは幼児ならいいが、老人にはそういう甘やかされ方を許してはいけない。

野球選手を始めとする運動選手は、多分、その種目によって、専門家の間では、競技を続けられる年齢というものの限度があるだろう。野球選手に四十歳を過ぎても続けている人がいるが、他の競技ではなかなかそうはいかなそうだ。

作家としては、三十歳では、まだほんとうの現実が見えない。私は二十三歳で一応プロの作家として認められたのだが、作品をもっとも自然に書けるようになったのは、四十歳の後半になってからであった。

何歳でも、芸術の真価は、揺るぎない絶対の評価の上に立たねばならない。年寄りだから、この程度の下手さ加減でも世間には通るだろう、ということは実際にはないのである。

芸術は独立している。年齢も健康も一切言い訳にならないのだが、世間はまだその厳しさを把握していない。

第十七話 人はどのように自分の人生を決めるのか

「貴婦人」という名の白樺

テレビを見ていたら、奥日光にある小田代ヶ原《おだしろがはら》の湖を撮影しに来ている人たちの姿が出ていた。何十人もの男たちが、湖を見下ろす高台の道に、ぎっしりと並んで立派な三脚を立てている。その写真愛好家たちのものものしい姿を見ていたら、組閣後の閣僚だか、映画祭のスターだかを撮影しに来ているマスコミ・カメラマンのように見える。しかし彼らが写しに来ているのは、秋の湖の光景なのである。

周りは既に秋の紅葉である。しかし秋景色くらい、どこにでもあるだろう。どうしてここにこんなに集まるのか訝《いぶか》しく思っていたら、この湖自体が不思議な存在であることがわかった。普段はそこは何の変哲もない一種の湿原なのだそうである。例年ならこんな具合です、という光景も映し出された。ほんとうに薄汚い窪地《くぼち》である。それが今年は満々と水をたたえた湖になっているのは、特別に雨が多かったからだという。

確かに、数年に一度しか姿を現さない、という情況そのものが一種、神秘的である。軽々しく自然を擬人化するのはいい趣味ではないのだが、お祭でもクラス会でもマンションの運営委員会でも、いつでもどこの会合にでも出て来る人より、たまにしか現れない人の方が、来てもらってありがたみがあるというものかもしれない。

しかしそこに集まった写真愛好家たちのほんとうの目的は紅葉ではなく、その紅葉をバックに立っている一本の白樺《しらかば》の木だというのであった。

私は白樺という木のほんとうの大きさを知らないが、確かに遠景から見ると、赤や黄色の紅葉の中に、たった一本、白い幹だけを見せて、毅然《きぜん》と立っている。周囲の紅葉とは、はっきりと一線を画して生えているのである。その白樺のことを、人々は「貴婦人」と呼んでいるのだ、という解説もつけられていた。

安易な擬人化を避けているように、私は、自然の姿をやたらに教訓的に受け取るのも好きではない。しかし今の時代に、訪れる人たちが「貴婦人」という呼び名を少しの抵抗もなくつけたというのは、おもしろいことだと思った。今の日本は、階級をつけることが嫌いなはずなのである。

むしろ現在好かれると信じられているのは、日本には中産階級がどんどん減り、貧困階層が増え、格差社会になりつつある、などという、底辺に批判的な眼を向けた話題だけである。

私は二十五年間くらいアフリカの貧しい土地だけに度々行っているせいか、ほんとうの貧困というものを、何度もはっきりと見せられてきた。いつも言うことだが、貧困の条件はたった一つしかない。貧困とは「今夜食べるものがない」ことを言う。その条件に当てはまる人は間違いなく「貧しい人」である。

しかしそれ以外の、家のローンが払えない、子供を大学にやる費用の捻出がむずかしい、新車を買えない、などという理由は、世界的に見て全く貧困の条件にはならない。

貧困の苦悩はもっと「積極的」なものである。何々ができない、という形は取らない。屋根が穴だらけなので雨に濡れて寝ている。一度お腹いっぱい食べてみたい。医者にかかる金がなくて死んだ家族がいる。埋葬の費用がないので家族の遺体を引き取りに行かなかった。そんな理由がまかり通っている社会を貧困社会と言うのである。

東日本大震災の後でも、日本は実にいい国である。職場を失ったり、元いた家に住めなくなった人たちはたくさんいるだろうし、愛する家族を失った欠落感は、誰にも埋めようがない。しかしとにかく飢えている人、長期間風呂に入れない人、炊事の水がない人、テレビを見られない人はいないのだ。乞食をしている人も、毎晩集団で襲われる略奪やレイプにおびえている人もいない。

震災以前から生活保護を受けている人たちは無料で医療の恩恵を受けている。救急車は無料。そんな国がこの地球上にほかにどれだけあるかを考えもしないで、日本は格差社会だと言って煽《あお》る人たちがいる。外国では、上は首相から、下は下級公務員にいたるまで汚職体質がびっしりとはびこっている国も少なくない。しかし日本では例外的だ。

そんな社会で、貴婦人という言葉が、何の抵抗もなく思い出されたということが、非常におもしろく思えたのである。

たった一本で立っている白樺のどこが貴婦人的なのかを考えてみるのも、おもしろいことだろう。

まずそれは、精神的に物質的に、汚濁に染まっていない、ということの象徴なのだろう。白樺の幹の白いのは、ただ植物としてそういう特徴を持っているからであって、別に植物が潔いのではない。ただ白は、黒の対照として、汚れていないことを暗示しているのだろう。

白は、すぐ汚濁に染まりやすい。人間も堕落《だらく》するのは簡単である。

貴婦人の存在を認める社会の根底には、人間の精神に、崇高なものがあるとする基本的な合意または認識があるのだろう、と私は感じた。堕落していない生き方で生きている人をみごとだとみなすその思いである。最近の日本には、そういうものへの憧れが全く消え失せていたのではないかという感じが私の中にはあったのである。

親もいる中学生が「援助交際」をして、そのお金でブランドもののハンドバッグを買っていても、家の中で気がつきもしないのか、問題にもならない社会は、それだけで深く病んでいる。

そういう社会は、基本的な倫理観、精神的な潔癖感、個人的な矜持《きょうじ》のすべてが欠けていて、「流行と大多数」が個人の思想の位置を決めるようになる。友達が皆しているんだからカンニングをしても当たり前。お金がなくてどうしても欲しいものがあれば万引きをすればいい、という空気が濃厚にあって、それらのものは、どんなに些細《ささい》なものでも人間失格なのだ、などと言えば、何を頭の固いことを言っているのよ、と笑われそうな空気なのである。

人間何をしたって自由なのよ、したいようにすればいいのよ、という発想は実は根本的にまちがいなのだと大人たちは言わなくなったのだ。それは自由のはきちがえ、もっとはっきり言えば、教養のなさ、人間失格の条件なのだが、いつのまにかずるずるとその程度のことは「今の時代仕方がない」という形で、市民生活の間に浸透して来た。

人生は最後の一瞬までわからない

私たちは既に「自由とは必ず義務を伴うものだ」ということをどこかで聞いているはずなのである。何をしたっていい、のは、ターザンのように全く一人で、自力だけで森の中で暮らす人のみに許されることだろう。

しかし私たちは人間社会の中に住み、多かれ少なかれその恩恵と被害を受けて暮らすのである。大きかろうと小さかろうと都市や町に住み、教育と水道と電気の供給、テレビやケイタイなどの電波の恩恵、無料の救急車と予防注射などの市民としてのサービスを受ける以上、私たちの自由は義務を伴うのである。

電車に乗れるからこそ、十キロ、二十キロ離れた所まで簡単に出かけて行って、人に会ったりものを買えたりするのだが、電車が通っている土地では、騒音も付随し、事故に遭うこともある。だから全く自由にしたいことだけをして暮らすことは許されていない。左側通行の規則は守り、車道と歩道の区別は遵守《じゅんしゅ》しなければならない。

人と共存して、都市的な便利を得るには、やはりそれなりの規則を守らねばならない。簡単なことだが、人中では衣服を脱がない、やたらに排便をしない、などといった規則を守らねばならない。また所有権を守るために、盗まない、傷つけない、という義務も生じている。

そうした情況の中で、戦後七十年近く、私たちは外界とさして軋轢《あつれき》もなく穏やかな社会で生きるのを当然として生きて来た。人がいいということを、多くの場合自分も認め、他人が敷いた線路の上に生きることをよしとした。この絶対多数が認めることを自分も認める生き方は、多くの人にとって生まれるや否やその線路が敷かれていたものである。

幼時から、現代の社会には、望ましいと思われる判断の基準が見えている。もちろん時代によっていささかの違いはあり、ことに就職の時になると、その「人気」は悲しくなるほど軽薄に動く。一時、大卒にもっとも人気のある会社の一つには、「日本航空」が入っており、最近までは「東京電力」もそう思われていただろう。

しかし「日本航空」が株式の上場欄から消え、「東京電力」が福島第一原子力発電所の事故で、これから先膨大な額の補償をしなければならないとなると、今さら「東京電力」を就職先に望む人はいないということになるのだろう。現実的にも会社の方で、新規の採用を見送っているかもしれない。しかし新しく就職しようとする青年たちの軽薄な動きは、私から見るといつも見ていられないほど浅ましいものであった。

私から見ると就職というものは、自分が好きで、いささか専門的な知識もある分野で選ぶものである。しかしもうずっと以前から、マスコミか銀行か役所のどれでも入れてくれるところに勤める、というような意識の青年たちが現れるようになった。マスコミと銀行とでは、求められる才能が全く違う。マスコミ人と公務員では、幸福の感じ方が全く異なる場合もある。

つまり青年たちの魂に、全く個性がなくなったのだ。自分が好きなものも嫌いなものも判別つかない。自分の理想とする人生が大学を出る年になってもわかっていない。恐らく「生涯を賭けて生きたい道」など持っている人は、非常に少ないだろう。

学校の成績などどうでもいい。少なくとも作家の世界では、学校秀才など作家として大成する上で何の保証にもならないようである。むしろ学校では劣等生だったという人の方が、作家としては大器なのではないか、とオーバーに期待される面さえある。

ほんとうに人の一生というものは、最後の最後までわからない。「団塊の世代」が最近ではもう六十路《むそじ》を歩むようになった。彼らもまた、人には思いもかけないようなさまざまな人生の結論があるらしいということが、現実のものとして見えて来ているだろう。

同級生で成績も就職先の社会的評判も、出世競争でもトップを走っていたように思われる友人が、体を壊して五十歳前後で死んだり、再起不能の病気に罹《かか》ったりすることはよくある。あるいは、才色兼備のいい妻をもらったように見えた人が、その妻がまだ六十歳になる前から知的能力に衰えを見せ、長い老後をずっとその世話をして暮らさねばならなくなるようなケースも決して珍しくはないのである。

長く生きるよさというのは、こういうどんでん返しが現実にあることを確実にこの眼で見られたことだと言うべきかもしれない。

結論は簡単には出ない。評価も単純にはつかない。人間は、どれほども自分の眼の昏《くら》さを知って謙虚になるべきだ、ということがひしひしと感じられるのである。

しかし私が最近感じているのは、そうした結果論ではない。私が問題として眺めてみたいのは、人間はどのようにして自分の人生を決めようとしているのか、ということだ。現代は個人が選択の自由をとことん得ている時代だと見られているが、実は個人はその自由を評価してもいないし行使してもいないのではないか、と思うことがよくあるのだ。

「ずたずたの人生」を引き受ける覚悟

私がはっきりと小説家になろうと思ったのは、小学校六年生の時である。ほかに得意な道がなかったから、ということもあるが、私はそれまで家庭で作文教育を徹底して受けて来た結果、当時既にものを書くということがかなり自由にできるようになっていて、表現する楽しさを感じていたという現実がある。ピアニストが幼時からずっと厳しい練習を受け続けてそれに耐え、いつのまにかプロの道にすんなりと入っていたのと、少し似ている。

母は小学校の一年生の時から、私に毎日曜日には作文を一つ書かなければ遊びに行ってはいけない、という規則を作っていた。つまり私は初めはいやいや作文を書き、次第に書くことが楽になっていたので、小学校を終える頃には、現実の生活を自由に書けるだけではなく、次第に創作の世界に歩み出すようになっていた。

とはいっても、私は疑いもなく作家の道を歩けると信じたのではなかった。私はすでに世の中に出ている作家の文章からも、文学少女のなれの果てだった母からも、作家志望でありながら、作家になりそこねた人たちの話や、駆け出しの頃の不安と苦労話を散々聞かされていた。

作家とは何の保証も補償もない職業であった。十年経っても原稿が売れなかったら、一千万円払ってくれるという保険もない。原稿料収入は気まぐれなもので、今月一円の収入がなくても、失業保険・無収入保険などというものは一切ないのである。作家を志すということはそういう危険を覚悟し、安穏な人生を放棄することを心の中で約束することである。しかしそれほどに、書きたいという思いを持つことなのである。

とはいっても作家などまだ甘い道であった。私はスウェーデンの地理学者で中央アジア探検を続けてついにロプ・ノール湖にまで達したスウェン・ヘディンや、英国の宣教師でアフリカの奥地で長い年月探検を続け、ビクトリア滝にまで到達したリビングストンなどが選んだ人生と比べれば、作家志望など実にあまっちょろいものだと最初からわかっていたのである。登山家やヨットマンなどは、私の想像の範囲の外にあった。私にはあんな恐ろしい冒険は全くできなかった。

それでも最近の若者たちの多くと私がちがうのは、彼らは人生で大きな失敗の危険を含む冒険を、決してしてしようとはしないのに対して、私はそうではないということだ。私はいつも人生で、自分が好きな道なら、失敗するかもしれない部分を賭けてみようと思っていた。私は失敗してずたずたになる人生を心のどこかで覚悟していたが、彼らにはそんな投げやりな点は全くないことが後でわかった。

第十八話 不純な人間の本質を理解する

いいだけの人生もない、悪いだけの人生もない

昔、秀才で有名だった私のボーイフレンドの息子が、登校拒否になった時、私はそれを大した悲劇だとは思わなかった。私はまずボーイフレンドに向かって「あなたが悪いのよ」と言った。

「お父さんが東大法学部出身なんて、息子に重圧を掛けるだけですからね。父親より秀才になるなんてこと、できないわけだから、最悪だわ」

実は私が登校拒否の事実を重大視しなかったのは、全く別の理由からだった。私は自分の息子と同じくらいの年頃の、その「登校拒否さん」と会うといつも会話が楽しかっ

たのである。その時彼はまだ中学生だったと思うのだが、彼は私に自分が今「凝ってい
る」ビートルズや、他のグループ・サウンズなどの話を解説的にしてくれて、私は大い
に新しい知識を得たし、彼の考え方に眼を開かされたような気がしたのである。

つまり彼は、中学生でも、立派に大人の話し相手ができる子だったのである。こんな
優秀な子が落ちこぼれなどであるわけがない。しかしとにかく彼は登校を拒否していて、
成績も悪かったのである。今でも言えることは、登校拒否したような子供で、劣等生は
一人もいないのではないか、ということだ。

私は思いついて、秀才のお父さんに、或るキリスト教系の寄宿学校を紹介した。家と
親から彼を引き離すことがまず大切なことだ、と世間的にも言われていたからである。
学校側も事情を理解してくれ、親たちも納得して、彼は生まれて初めて生家から離れて
近県で暮らすようになった。

学期の初めに、クラス分けがあったという。もちろん学力テストの結果であった。そ
の結果彼はもっとも学力の低い組に入れられた。

「よかったわねえ」

と私は言った。

「そこでわからないところを初めからていねいに教えてもらえる、ってことじゃないの。それに今以上落ちる方法がないんだから、あなたは実にいいところにいるんだわ。後は上がるだけじゃないの」

中学生は私の言い方におかしそうに笑ってくれた。人間、現状を客観的に見て笑えれば、たいていの窮地から脱出できるのである。途中を省いた報告をすれば、彼は立派に立ち直り、父親と同じ東大法学部にこそ行かなかったが、立派な社会人になった。中学生時代の挫折など、笑い話になったのである。

いいだけの人生もない。悪いだけの生涯もない。ことに現在の日本のような恵まれた状況では、そのように言うことができる。それでもなお、多くの日本人が不平だらけなのだ。

まず私の実感を述べておこうと思うのだが、もし人生を空しく感じるとしたら、それは目的を持たない状況だからだと言うことができる。

たとえば高齢者に多いのだが、朝起きて、今日中にしなければならない、ということが何もない。だからどこへ行ったらいいのか、何をしたらいいのかわからない。どうして時間をつぶそうかと思う。時間というものは皮肉な「生き物」で、することがたくさんある健康人にとっては素早く経っていくものなのに、することのない人や病人には、きわめてのろのろとしか経過しないものなのである。絶対時間というものは果たしてあるのだろうか、と思うくらい心理的なものだ。

年齢にかかわらず、残りの人生でこれだけは果たして死にたいと思うこともない、という人は実に多い。諦めてしまったのか、もしかすると、目的というものは偉大なものであるべきだ、と勘ちがいしているからか、どちらか私にはよくわからない。

私の目的は、多くの場合、実に小さい。今日こそ入院中のあの人に少しは退屈紛らしになるような手紙を書こう。冷蔵庫の中の長ねぎ二本を使ってしまおう。引き出しの三段目の中で散らかっているクリップやメモ用紙を整理しよう。その程度のものだ。そしてそれだけ果たすと、私は満足と幸福で満たされる。我ながらかわいいものだ、と思う。

幸せの度合いは誰にも測れない

現在の日本人は、まずまず食べられるから不幸なのだ。その人が今日食べるものにも事欠くような状態なら、何か半端仕事でもしてお金を稼がねばならない、という切羽詰まった思いになり、その緊張も一つの救いになるのだが、今日の日本で普通に見る高齢者は、どうやら食べることはできる。雨の漏らない家もあって、死ぬまで住んでいける。しかし、目的がない、という状態なのだ。この空しさほど辛いものはない。退屈というものは、死ぬほど苦しいものだ、と言った人さえいた。

しかしそんな甘い人生を送らなかった人たちの記録も残っている。ナチスによって強制収容所に入れられた時代のユダヤ人たちの記録を読むと、あの中で生きるに値した時間などなかったように見える。それがどんなに厳しい環境だったかは、精神分析学者のヴィクトール・フランクルがその著書『夜と霧』の中でみごとに分析している。

「ラテン語の finis という言葉は周知のごとく二つの意味をもっている。すなわち終りということと目的ということである。ところで彼の（仮の）存在形式の終りを見究めることのできない人間は、また目的に向って生きることもできないのである。彼は普通の人間がするように将来に向って存在するということはもはやできないのである。（中略）収容所では比較的小さな時間間隔は――たとえば一日は――毎時毎時になされる悪意ある難癖に充たされて――ほとんど限りなく続くように囚人には思われるのである。しかしより大きな時間間隔は――たとえば週は――気味悪い程早く過ぎ去って行くように思われるのである。だから私が、収容所では一日の長さは一週間よりも長いと言った時、私の仲間はいつも賛成してくれた。それほど時間体験は無気味な逆説的なものであった。」

これを部外者的に言えば、一日は誰にとってもかなり明確な現実だが、一週間は、それが直前の過去であろうが、かなり以前の過去であろうが、観念的に受けとめるということだろうか。

人はあらゆる状況の中で、あらゆる感覚を結集して、自分の生きる意味を探る。一刻一刻が楽しいように、ひとときひとときが辛くないように。しかし客観的に正確な、現実の幸福の度合いというものは誰にも測れないようである。

だから、刻一刻を自分の精神が満足するように生きることこそ大事なのであって、それはその人だけにできる「事業」と言うべきだろう。

むしろ私は、それ以上にその人や物や事件の存在を長く記憶や記録に留めることは、ほんとうは誰にもできないことだと思っている。最近でもたとえば東日本大震災で起きたことを「決して風化させてはいけない」というようなことを言う人たちがいる。私は忘れることもまた、痛ましい心の傷を負った人にとっては、大切なことだと思うのだが……世間はそうでない。災害を風化させることは、まるでそのために死んでしまった人たちへの裏切りのような口ぶりである。

誰も愛した死者たちを忘れてしまっていいとは思っていない。むしろ忘れようとしても忘れられないのが普通なのだ。しかし風化はむしろ当然の成り行きなのだ。ローマ皇帝にして哲人であったマルクス・アウレリウス（西暦一二一年〜一八〇年）は、『自省録』の中で書いている。

「すべてかりそめにすぎない。おぼえる者もおぼえられる者も」（四・三五）

「遠からず君はあらゆるものを忘れ、遠からずあらゆるものは君を忘れてしまうであろ

う」（七・二一）

だから戦争も震災も原爆も、語り継ぎ、決して忘れてはいけない、ということは、初めから不可能なことなのだ。だからこそ学ぶ必要はない、ということではない。事実は忘れても、そこから人々は偉大な抽象性を学ぶことはできるし、その真髄を定着させることも可能である。また事実、こうした経過をすべて否応《いやおう》なく学んできたのである。

「現存するものを見た者は、なべて永遠の昔から存在したものを見たのであり、また永遠に存在するであろうものを見たのである。」（六・三七）

見た、と言っても、そこには心眼も必要だろう。単なる事象、としてしか見なければ、そのものが懐に抱く深奥な意味を掬《すく》い取ることもできない。

「ものごとを軽く見ることができるという点が、高邁《こうまい》な人の特徴であるように思われる」

というアリストテレスの『エウデモス倫理学』の中の言葉は、今でも私の大好きな姿勢である。「ことに自分に関するものごとを……」と付け加えられれば完璧だ。

人間は誰でも、自分に関することをもっとも重大事だと考える。しかし他人のこととなるとそれほどでもない。

いいばかりの人もいなければ、絵に描いたような悪人もいない

一九八五年の飢餓の年に、私はエチオピアの北部にいた。つい数週間前まで、厖大な数の餓死者が毎日出続けたという土地でも、次第に援助の手が少しは及ぶようになって、死者数はやや減り始めたという頃だったが、それでも立つ体力もなくなった男性が、座り込んだまま、自分の周囲に生えている草を千切って食べていた。

そこで私は二人の人たちから、自分が今抱いている赤ん坊をすぐに連れて行ってくれと言われた。そのうちの一人の父は、「この子の母は死んで、誰も乳をやる人がいない。日本人が連れて行ってくれれば、この子はどうにか助かるだろう」と言っていると、通訳は私に伝えた。

もう一人私に赤ん坊を渡そうとしたのは、骸骨《がいこつ》のように痩せこけた若い母だった。自分のお乳がもう出なくなっているのだ、と言う。

私は思いついてハンドバッグの中にあった飴の缶の中に、最後に残っていた一粒を渡

した。もうそれ以上、私には持ち合わせがなかったのである。私が飴を母に渡したのは、赤ん坊が小さすぎて、飴を口に入れてやるに適した大きさとは思われなかったからだった。母親にやれば、彼女がまずそれを舐めて、甘い唾液を赤子に口移しにやるという安全な方法を取ることもできるだろう。

私がしばらくの間そこを立ち去らなかったのは、事の成り行きが私の思い通りにならなかったからだった。母親は自分が飴を舐めただけで、決して子供に口移しに何かを与えそうにはなかった。あまり空腹だったからだろう。彼女は自分がそれを食べてしまったのであった。飴を舐めれば、干からびた乳房が少しは乳を出してくれると計算したのではなかったろう。

それが人間というものなのであった。私たちはあまりにも多くの母性神話を聞きすぎていた。しかし誰もが自分の身を犠牲にしても子供を救う母ではありえない、というあたりが自然なのだろう。

母性が、子供のためには自分の命を投げ出すものだ、という話が信じられるのは、命の危険のない時間と空間で語られる時だけかもしれないのである。

すべてのことは、崇高なばかりでもなく、動物的なだけでもなかった。すべてのことに、私はいささかの真実と、いささかの虚構があることを見たのであった。それらは、動物でありながら人間であり続ける私たちの、現実の願いを悲しく示していた。

私は自分が理想的であることを放棄したのだろうか。そうであるとも言えるし、そればかりではないような気もする。そしてそのような精神の質的変化は、いつ頃から行われたのだろうか、と考えると、ずいぶんと若い時からという気もするし、今もなお図々しく変化し続けているという気もする。

よくも悪くも、人間は一時たりとも、留まったり静止したりしていない。生きることは、動き廻り、変化するということなのだ。

私個人の場合で言うと、幼い頃弱かった私が、こんなにも内臓の丈夫な人間になるとは思わなかった。十代に体験した戦争と、過保護に育てた母への微かな裏切りの感情から、私は自分自身を常に軽く過酷な状態に追い詰める必要を感じていた。それをしなければ、私は自分でも手に負えないようなわがままで弱い人間になりそうな気がしたのだ。

その願いはかなえてもらったのだが、私はここ数年、膠原病《こうげんびょう》に罹っているらしいことがわかるようになった。まだ症状は軽いし、何でもない日は、健康人と同じように暮らせる。病気の性質上、治療法が確立されていないのも便利でいい。つまり治療をする必要がないのだ。だから私は行きたいところに行っている。私はわがまま病と思って、自分をできるだけいい加減にあしらって生きることにしたのだ。

たいていの人間は極限に立っていない。たいていの人は中間地点で生きている。普通に暮らしているがちょっとした「病気持ち」という人はざらにいるし、病人でもまだ青春真っ只中で恋をしている人もいる。

私たちは先天的にも、運命的にも、常に中間の地点に立つようになっているのだ。私たちはいいばかりの人でもなく、絵に描いたような悪人でもない。よくて悪い人間なのだ。他人もまた同じだ。あの人もこの人も、似たりよったりなのだ。

大人にならない人は、この宿命的な不純で不安定な人間性の本質がよくわからないだけなのだ。私たちは相手と決定的にちがうこともなく、決定的に同一になれるわけでもない。ちがって当たり前なのだ。だから対立したこと——思想や政策に関して——は、次の選挙で争って勝てるものなら、そうすればいいが、そうでなかったら、無視して、我が道を歩むことなのである。

それより大切なのは、そんな細かいことを忘れるために、一人でもいいし、友達や家族とでもいい、楽しいお茶を飲むことだ。そこではみんなが飲み物の種類を選び、好きなお菓子を取る。私のような変人は、お菓子の代わりに、シシャモの干物を香ばしく焼いて頭から骨ごと食べる。シシャモは安い冷凍もの。カムチャツカ産だったり、北欧産だったりする。

そうだ。大切なことは、お茶をいれて、すべての些細な対立は、強靭《きょうじん》な大人の心で流してしまえるかどうかなのだ。

幻冬舎新書 311

人間にとって成熟とは何か

二〇一三年七月三十日 第一刷発行
二〇一三年八月十一日 第三刷発行

著者 曽野綾子

発行人 見城 徹
編集人 志儀保博
発行所 株式会社 幻冬舎
〒一五一-〇〇五一 東京都渋谷区千駄ヶ谷四-九-七
電話 〇三-五四一一-六二一一(編集)
〇三-五四一一-六二二二(営業)
振替 〇〇一二〇-八-七六七六四三
ブックデザイン 鈴木成一デザイン室
印刷・製本所 中央精版印刷株式会社

本書は『星星峡』連載の「成熟した大人、未成熟の大人」(一六七号~一八四号)を改題のうえ、まとめたものです。

Printed in Japan ISBN978-4-344-98312-0 C0295
そ-2-1
幻冬舎ホームページアドレス http://www.gentosha.co.jp/
*この本に関するご意見・ご感想をメールでお寄せいただく場合は、comment@gentosha.co.jp まで。